CONAN DOYLE

Deux aventures de
SHERLOCK HOLMES

The adventure of the speckled band
La bande mouchetée

The three students
Les trois étudiants

Traduction et notes de Georges Hermet
Professeur agrégé honoraire

POCKET

Les langues pour tous

Collection dirigée par Jean-Pierre Berman,
Michel Marcheteau et Michel Savio

ANGLAIS Série bilingue

Niveaux : ❏ facile ❏❏ moyen ❏❏❏ avancé

Littérature anglaise et irlandaise

- **Carroll (Lewis)** ❏
  Alice au pays des merveilles
- **Cleland John** ❏❏❏
  Fanny Hill
- **Conan Doyle** ❏
  Nouvelles (6 volumes)
- **Dickens (Charles)** ❏❏
  David Copperfield
  Un conte de Noël
- **Fleming (Ian)** ❏❏
  James Bond en embuscade
- **Greene (Graham)** ❏❏
  Nouvelles
- **Jerome K. Jerome** ❏❏
  Trois hommes dans un bateau
- **Kipling (Rudyard)** ❏
  Le livre de la jungle (extraits)
- **Mansfield (Katherine)** ❏❏❏
  Nouvelles
- **Masterton (Graham)** ❏❏
  Nouvelles
- **Maugham (Somerset)** ❏
  Nouvelles brèves
- **Mc Call Smith (Alexander)** ❏
  Contes africains
- **Stevenson (Robert Louis)** ❏❏
  L'étrange cas du Dr Jekyll
  et de Mr. Hyde
- **Wilde (Oscar)**
  Nouvelles ❏
  Il importe d'être constant ❏
- **Wodehouse P.G.**
  Jeeves, occupez-vous de ça ! ❏❏

Ouvrages thématiques

- **L'humour anglo-saxon** ❏
- **Science fiction** ❏❏
- **300 blagues britanniques et
  américaines** ❏❏

Littérature américaine

- **Bradbury (Ray)** ❏❏
  Nouvelles
- **Hammett (Dashiell)** ❏❏
  Meurtres à Chinatown
- **Highsmith (Patricia)** ❏❏
  Crimes presque parfaits
- **Hitchcock (Alfred)** ❏❏
  Voulez-vous tuer avec moi
- **King (Stephen)** ❏❏
  Nouvelles
- **James (Henry)** ❏❏❏
  Le tour d'écrou
- **London (Jack)** ❏❏
  Histoires du grand Nord
  Contes des mers du Sud
- **Fitzgerald (Scott)** ❏❏❏
  Un diamant gros comme
  le Ritz ❏❏
  L'étrange histoire de
  Benjamin Button ❏

Anthologies

- **Nouvelles US/GB** ❏❏ (2 vol.)
- **Les grands maîtres
  du fantastique** ❏❏
- **Nouvelles américaines
  classiques** ❏❏
- **Nouvelles anglaises
  classiques** ❏❏

Sommaire

3

Signes et principales abréviations

△	attention, remarquez	*litt.*	littéralement
▲	faux ami	*m. à m.*	mot à mot
adj.	adjectif	*pl.*	pluriel
adv.	adverbe	*qqch.*	quelque chose
fam.	familier	*qqn*	quelqu'un
fig.	figuré	*sbd.*	somebody
US	États-Unis	*sg.*	singulier
expr.	expression	*sth.*	something
GB	Grande-Bretagne	*syn.*	synonyme
G.N.	groupe nominal	*G.V.*	groupe verbal

Prononciation

Sons voyelles

[ɪ] **pit**, un peu comme le *i* de *site*

[æ] **flat**, un peu comme le *a* de *patte*

[ɒ] ou [ɔ] **not**, un peu comme le *o* de *botte*

[ʊ] ou [u] **put**, un peu comme le *ou* de *coup*

[e] **lend**, un peu comme le *è* de *très*

[ʌ] **but**, entre le *a* de *patte* et le *eu* de *neuf*

[ə] jamais accentué, un peu comme le *e* de *le*

Voyelles longues

[i:] **meet** [mi:t] cf. *i* de *mie*

[ɑ:] **farm** [fɑ:m] cf. *a* de *larme*

[ɔ:] **board** [bɔ:d] cf. *o* de *gorge*

[u:] **cool** [ku:l] cf. *ou* de *mou*

[ɜ:] ou [ə:] **firm** [fə:m] cf. *e* de *peur*

Semi-voyelle :

[j] **due** [dju:], un peu comme *diou...*

Diphtongues (voyelles doubles)

[aɪ] **my** [maɪ], cf. *aïe !*

[ɔɪ] **boy**, cf. *oyez !*

[eɪ] **blame** [bleɪm] cf. *eille* dans *bouteille*

[aʊ] **now** [naʊ] cf. *aou* dans *caoutchouc*

[əʊ] ou [əu] **no** [nəʊ], cf. *e + ou*

[ɪə] **here** [hɪə] cf. *i + e*

[eə] **dare** [deə] cf. *é + e*

[ʊə] ou [uə] **tour** [tʊə] cf. *ou + e*

Consonnes

[θ] **thin** [θɪn], cf. *s* sifflé (langue entre les dents)

[ð] **that** [ðæt], cf. *z* zézayé (langue entre les dents)

[ʃ] **she** [ʃi:], cf. *ch* de *chute*

[ŋ] **bring** [brɪŋ], cf. *ng* dans *ping-pong*

[ʒ] **measure** ['meʒə], cf. le *j* de *jeu*

[h] le *h* se prononce ; il est nettement <u>expiré</u>

* indique que le *r*, normalement muet, est prononcé en liaison ou en américain

Comment utiliser la série « Bilingue » ?

Cet ouvrage de la série « Bilingue » permet aux lecteurs :
• d'avoir accès aux versions originales de textes célèbres en anglais, en l'occurrence, ici, **deux nouvelles de Conan Doyle**, et d'en apprécier, dans les détails, la forme et le fond ;
• d'améliorer leur connaissance de l'anglais, en particulier dans le domaine du vocabulaire dont l'acquisition est facilitée par l'intérêt même du récit, et le fait que mots et expressions apparaissent en situation dans un contexte, ce qui aide à bien cerner leur sens.
Cette série constitue donc une véritable méthode d'auto-enseignement, dont le contenu est le suivant :
• page de gauche, le texte en anglais ;
• page de droite, la traduction française ;
• bas des pages de gauche et de droite, une série de notes explicatives (vocabulaire, grammaire, rappels historiques, etc.).

Les notes de bas de page aident le lecteur à distinguer les mots et expressions idiomatiques d'un usage courant et qu'il lui faut mémoriser, de ce qui peut être trop exclusivement lié aux événements et à l'art de l'auteur.

Il est conseillé au lecteur de lire d'abord l'anglais, de se reporter aux notes et de ne passer qu'ensuite à la traduction ; sauf, bien entendu, s'il éprouve de trop grandes difficultés à suivre le texte dans ses détails, auquel cas il lui faut se concentrer davantage sur la traduction, pour revenir finalement au texte anglais, en s'assurant bien qu'il en a maintenant maîtriser le sens.

© 2006 – Pocket – Langues pour tous,
Département d'Univers Poche.
© 2009, pour cette nouvelle édition

ISBN : 978-2-266-16077-3

ARTHUR CONAN DOYLE

CHRONOLOGIE

Né le 22 mai 1859, à Edimbourg, dans une famille catholique et francophile.

1876-1881 : études de médecine à l'Université d'Edimbourg. En 1880, navigue pendant sept mois comme médecin à bord d'un baleinier.

1881-1882 : débuts difficiles dans la carrière médicale. Abandonne le catholicisme.

septembre 1882 : s'installe comme médecin à Southsea.

1885 : épouse Louise Hawkins.

1887 : *A Study in Scarlet* : apparition du personnage de **Sherlock Holmes**, d'ailleurs accueilli assez tièdement par le public.

1889 : publication de *Micah Clarke,* roman historique situé dans l'Angleterre du XVIIe siècle.

1891 : *The White Company,* roman de chevalerie situé dans l'Angleterre et la France du XIVe siècle.

1891 : début de la publication de *The Adventures of Sherlock Holmes,* dans *the Strand Magazine.* Grand succès auprès des lecteurs.

1892 : *The Adventures of Sherlock Holmes.* Conan Doyle abandonne la médecine pour se consacrer à la littérature.

1893 : publication de *The Refugees,* roman historique sur les tribulations des huguenots.

1894 : *The Memoirs of Sherlock Holmes,* dont la dernière nouvelle, *The Final Problem,* raconte la mort du détective, que Conan Doyle, sous la pression de ses lecteurs, devra ensuite « ressusciter ». Cette même année, il introduit le ski norvégien en Suisse.

1895 : *The Exploits of Brigadier Gerard,* nouvelles historico-humoristiques contées par leur héros, un grenadier de Napoléon.

1900 : Conan Doyle est responsable d'un hôpital de campagne en Afrique du Sud pendant la guerre des Boers. Cette même année (octobre) il est candidat (conservateur-unioniste) malheureux aux élections à la Chambre des Communes. Il fera une nouvelle tentative, également malheureuse, en 1906.

1900 : *The Great Boer War,* essai politico-militaire.

1901 : *The Hound of the Baskervilles* (enquête de Sherlock Holmes).

1902 : Conan Doyle est fait chevalier (knight) pour ses services pendant la guerre des Boers. Il devient Sir Arthur Conan Doyle.

1903 : *Adventures of Gerard,* d'autres nouvelles historico-humoristiques contées par leur héros, un grenadier de Napoléon.

1905 : *The Return of Sherlock Holmes.*

1906 : *Sir Nigel,* d'autres aventures de chevalerie mettant en scène le héros de *The White Company.*

1911 : *The Lost World,* récit d'aventures dans le style de Jules Verne, et introduisant le professeur Challenger.

1914 : *The Valley of Fear* (enquête de Sherlock Holmes). Sir Arthur Conan Doyle, âgé de 55 ans, tente de se faire engager comme officier instructeur. Mais c'est en tant que civil qu'il participa à l'effort de guerre par ses nombreux articles.

1917 : *His Last Bow* (enquête de Sherlock Holmes). Conan Doyle se proclame un adepte du spiritualisme.

1925-1927 : affaire Oscar Slater : Conan Doyle fait réhabiliter un homme injustement condamné.

1927 : *The Case-Book of Sherlock Holmes.*

1928 : édition définitive de *The British Campaigns in Europe,* histoire des opérations militaires de la guerre de 1914-1918.

1929 : *The Maracot Deep,* récit à la manière de Jules Verne de la découverte de l'Atlantide.

1930 : Conan Doyle s'éteint le 7 juillet à Crowborough, Sussex.

The adventure of the speckled band

La bande mouchetée

In glancing [1] over my notes of the seventy odd [2] cases in which I have during the last eight years studied the methods of my friend Sherlock Holmes [3], I find many tragic [4], some comic, a large number merely strange, but none commonplace ; for, working as he did rather for the love of his art than for the acquirement of wealth, he refused to associate himself with any investigation which did not tend towards the unusual, and even the fantastic. Of all these varied cases, however, I cannot recall [5] any which presented more singular features than that which was associated with the well-known Surrey [6] family of the Roylotts of Stoke Moran [7]. The events in question occurred in the early days of my association with Holmes, when we were sharing rooms [8] as bachelors [9], in Baker Street [10]. It is possible that I might [11] have placed them upon record before, but a promise of secrecy was made at the time, from which I have only been freed during the last month by the untimely death of the lady to whom the pledge [12] was given. It is perhaps as well that the facts [13] should [14] now come to light, for I have reasons to know there are widespread [15] rumours as to the death of Dr Grimesby Roylott which tend to make the matter even [16] more terrible than the truth.

It was early in April, in the year '83, that I woke one morning to find Sherlock Holmes standing, fully dressed, by the side of my bed.

---

1. **to glance at :** *jeter un coup d'œil rapide sur.*
2. **▲odd :** *bizarre, curieux ; dépareillé :* **an odd shoe ;** *impair :* **an odd number,** (le contraire étant : **an even number**) ; *environ, quelque* (inv.), après un chiffre.
3. **Holmes :** [houms].
4. **I find many tragic... :** construction : **I find that many are tragic... but none is commonplace.**
5. **to recall :** to remember : *se souvenir.*
6. **Surrey** ['sʌri] : comté du sud-est de l'Angleterre, contigu au Grand Londres.
7. **Stoke Moran** ['stouk 'mɔːrən] : château et village.
8. **rooms :** furnished **lodgings** (pl. inv.) : *un garni, un meublé.*
9. **▲ bachelors :** *célibataires ; bachelier :* **student who has passed his G.C.E. (general certificate of education).**
10. **Baker Street** ['beikə striːt] : rue de Londres proche

Lorsque je parcours les notes se rapportant aux quelque soixante-dix affaires grâce auxquelles j'ai, ces huit dernières années, étudié les méthodes employées par mon ami Sherlock Holmes, je m'aperçois que beaucoup d'entre elles ont un caractère tragique, que certaines sont comiques, un grand nombre tout simplement étranges, mais qu'aucune n'est dépourvue d'intérêt ; en effet, étant donné qu'il travaillait pour l'amour de son art plutôt que pour s'enrichir, il refusait de s'intéresser à toute enquête qui n'eût participé de l'extraordinaire, voire du fantastique. Parmi toutes ces affaires variées, je ne me souviens toutefois d'aucune qui ait présenté des caractéristiques plus curieuses que celle concernant une célèbre famille du Surrey, à savoir les Roylott de Stoke Moran. Les événements en question se sont produits dans les tout premiers jours de mon association avec Holmes, alors que, célibataires, nous partagions un meublé dans Baker Street. J'aurais fort bien pu consigner ces événements auparavant, n'était une promesse de discrétion dont je n'ai été libéré que le mois dernier, par la mort prématurée de la dame envers laquelle je m'étais engagé. Il est sans doute préférable que ces faits soient révélés maintenant, car j'ai des raisons de penser que les bruits qui courent partout concernant la mort du Dr Grimesby Roylott pourraient faire paraître l'affaire sous un jour encore plus horrible que la vérité même.

Au début du mois d'avril 1883, un matin, à mon réveil, je trouvai Sherlock Holmes, tout habillé, debout à mon chevet.

---

du centre commerçant de la ville à côté de Marble Arch.
11. redoublement de l'idée d'éventualité avec **it is possible** et **might**.
12. **a pledge = a promise** : *une promesse, un engagement.*
13. **the facts** : l'article défini peut avoir le sens du démonstratif qu'il tient de ses origines, *ces faits.*
14. **should** : subj. introduit par des locutions comme : it is as well that, it is good, **necessary, useful**, etc.
15. **widespread** : *répandus partout.*
16. **even** : devant un comparatif **even** équivaut à **still** : *encore plus.*

He was a late riser [1] as a rule, and, as the clock on the mantelpiece showed me that it was only a quarter past seven, I blinked [2] up at him in some surprise, and perhaps just a little resentment, for I was myself regular in my habits.

"Very sorry [3] to knock you up [4], Watson," said he, "but it's the common lot this morning. Mrs Hudson [5] has been knocked up, she retorted [6] upon me, and I on you."

"What is it, then ? A fire ?"

"No, a client [7]. It seems that a young lady has arrived in a considerable state of excitement, who insists upon [8] seeing me. She is waiting now in the sitting-room. Now [9], when young ladies wander about the metropolis [10] at this hour of the morning, and knock sleepy people up out of their beds, I presume that it is something very pressing which they have to communicate. Should it prove to be [11] an interesting case, you would [12], I am sure, wish to follow it from the outset. I thought at any rate that I should call you, and give you the chance."

"My dear fellow, I would not miss it for anything."

I had no keener pleasure than in [13] following Holmes in his professional investigations, and in admiring the rapid deductions, as swift as intuitions, and yet always founded on a logical basis, with which he unravelled [14] the problems which were submitted to him.

---

1. **late riser** : *(celui) qui se lève tard ;* du verbe **to rise** (rose, risen).
2. **to blink at** : *battre rapidement des paupières* parce que ébloui ou surpris.
3. **very sorry** : forme elliptique de **I am very sorry,** employée pour s'excuser.
4. **to knock up** : **to awaken by knocking** : *réveiller qqn en frappant à sa porte.*
5. **Mrs Hudson** : la logeuse des célibataires.
6. **to retort** [rɪt'ɔːrt] : *rembourser, rendre la pareille ; répliquer.*
7. **a client** : Sherlock Holmes, détective privé, considérait ceux qui venaient lui demander son aide comme des clients à qui il demandait des honoraires ; dans le commerce un client est **a customer.**

D'ordinaire, mon ami se levait tard, et comme la pendule sur la cheminée ne marquait que sept heures un quart, je lui lançai un regard où la surprise se mêlait à quelque ressentiment, car j'étais moi-même un homme de grande régularité dans mes habitudes.

« Désolé de vous réveiller, Watson », dit-il, « mais c'est notre sort commun ce matin. Mme Hudson a été réveillée, elle m'a donc tiré du sommeil, et je vous rends la pareille. »

« Que se passe-t-il donc ? Y a-t-il le feu ? »

« Non ; c'est une cliente. Il paraît qu'une jeune femme donnant les signes d'une grande agitation vient d'arriver, et tient absolument à me voir. En ce moment elle attend au salon. Or, lorsque de jeunes dames parcourent la capitale à cette heure matinale, et tirent les gens endormis de leur lit, je suppose qu'elles ont quelque chose d'urgent à faire connaître. Si cela se révèle être une affaire intéressante, je suis certain que vous aimeriez la suivre depuis son début. En tout cas, j'ai pensé qu'il était de mon devoir de vous appeler pour vous en donner la possibilité. »

« Mon cher ami, je ne voudrais pas rater cela pour tout l'or du monde. »

Rien ne me plaisait davantage que de suivre Holmes au cours de ses enquêtes ; j'admirais alors ses déductions rapides, aussi promptes que des intuitions, et cependant toujours fondées sur une base logique, ce qui lui permettait de démêler les cas qu'on lui soumettait.

---

8. **to insist upon** + gérondif : *insister* pour obtenir qqch de difficile.

9. **now** : adv. *à présent, maintenant ;* sans aucune nuance de temps, pour présenter une explication, une mise en garde : *or, eh bien.*

10. **metropolis** [mɪ'trɔpəlis] : ville principale, capitale d'un pays.

11. **should it prove to be : should,** subj. hypothétique, remplace *if* avec inversion du sujet : *if it proved to be.*

12. **would :** exprime la volonté.

13. **to have pleasure in** + gérondif : noter la construction : *prendre plaisir à.*

14. **to unravel** [ʌn'rævəl] *débrouiller des fils emmêlés ; éclaircir un mystère.*

I rapidly threw on my clothes, and was ready in a few minutes to accompany my friend down to the sitting-room. A lady dressed in black and heavily veiled [1], who had been sitting in the window, rose as we entered.

"Good morning, madam [2]," said Holmes cheerily [3]. "My name is Sherlock Holmes. This is my intimate friend and associate [4], Dr Watson, before whom you can speak as freely as before myself. Ha, I am glad to see that Mrs Hudson has had the good sense to light the fire. Pray draw up to it, and I shall order you a cup of hot coffee, for I observe that you are shivering [5]."

"It is not cold which makes me shiver," said the woman in a low voice, changing her seat as requested [6].

"What then ?"

"It is fear, Mr Holmes. It is terror." She raised her veil as she spoke, and we could see [7] that she was indeed in a pitiable [8] state of agitation, her face all drawn and grey, with restless [9], frightened eyes, like those of some hunted animal. Her features and figure [10] were those of a woman of thirty, but her hair was shot with [11] premature grey, and her expression was weary and haggard. Sherlock Holmes ran her over [12] with one [13] of his quick, all-comprehensive [14] glances.

---

1. **veiled** : *voilée, portant une voilette* (petit voile plus ou moins transparent pour cacher le visage).
2. **madam** : façon respectueuse de s'adresser à une dame inconnue. La forme masculine est **Sir**.
3. **cheerily** : de **cheery** : *avec gaieté, bonheur, joie.*
4. **associate** [ə'souʃieit] : ami qui s'intéresse aux activités de Sherlock Holmes et les partage.
5. **to shiver** : *trembler* de froid ou de peur.
6. **as requested** : construction : **as she had been requested** (= asked).
7. **could see** : **can** avec un verbe de perception (**to hear, to see**) sert à conjuguer ce verbe ; il ne se traduit pas en français.
8. **pitiable** ['pitiəbəl] : *digne d'être plaint, pitoyable.*
9. **restless** : formation : **rest** *(repos)* + suffixe **less** *(sans, dépourvu de)* : *agité.*

14

J'eus tôt fait d'enfiler mes vêtements et je fus en un clin d'œil prêt à accompagner mon ami au salon. Une dame vêtue de noir, portant une épaisse voilette, assise près de la fenêtre, se leva à notre entrée.

« Bonjour, Madame », dit Holmes d'un ton enjoué. « Je m'appelle Sherlock Holmes. Voici mon ami intime et collaborateur, le Dr Watson, en présence de qui vous pouvez parler aussi librement que devant moi. Ah ! je suis bien content de voir que Mme Hudson a eu la bonne idée d'allumer du feu. Approchez-vous donc de la cheminée pendant que je demande pour vous une tasse de café bien chaud, car je vois que vous tremblez. »

« Ce n'est pas de froid que je tremble, » dit la femme d'une voix sourde, tout en changeant de siège, comme Holmes le lui avait demandé.

« De quoi donc alors ? »

« C'est de peur, M. Holmes. Je suis terrifiée. » Tout en prononçant ces mots, elle releva sa voilette, et nous vîmes qu'elle était vraiment dans un pitoyable état d'agitation ; elle avait les traits tirés, le visage blême, des yeux qui révélaient sa frayeur et sa nervosité, comme ceux d'un animal traqué. Elle avait le visage et le corps d'une femme de trente ans, mais ses cheveux étaient parsemés de mèches prématurément grises ; tout en elle exprimait la lassitude et l'égarement. Sherlock Holmes la jaugea d'un seul coup d'œil rapide et intuitif.

---

10. ▲ **figure :** *la forme du corps ; la silhouette.* (Le mot français *figure* se traduit par **face**) ; autre sens : *chiffre* de 0 à 9 : **a three-figure number** : *un nombre de trois chiffres.*
11. **shot with :** participe passé de **to shoot** : *pousser, croître* ; ici : *parsemé de, mêlé de, strié.* Autre sens de **to shoot** : *tirer* (un coup de feu, avec une arme de tir).
12. **to run somebody over :** *jeter un coup d'œil sur qqn ; découvrir la vraie nature de qqn ; écraser :* **the bus ran over a pedestrian,** *le bus a écrasé un piéton.*
13. **one :** remplace l'indéfini **a, an** pour insister sur le caractère unique : *un seul.*
14. **all-comprehensive :** *qui saisit, englobe tous les détails.*

"You must no fear," said he soothingly, bending forward and patting her forearm. "We shall soon set matters right, I have no doubt. You have come in by train this morning, I see."

"You know me, then?"

"No, but I observe the second half of a return ticket [1] in the palm [2] of your left glove. You must have started [3] early and yet you had a good drive in a dog-cart [4], along heavy roads [5], before you reached the station."

The lady gave a violent start [6], and stared [7] in bewilderment [8] at my companion.

"There is no mystery, my dear madam," said he, smiling. "The left arm of your jacket is spattered with [9] mud in no less than seven places. The marks are perfectly fresh. There is no vehicle save [10] a dog-cart which throws up mud in that way, and then only when you sit on the left-hand side of the driver."

"Whatever your reasons may be [11], you are perfectly correct," said she. "I started from home before six, reached Leatherhead [12] at twenty past, and came in by the first train to Waterloo [13]. Sir [14], I can stand this strain no longer [15], I shall go mad if it continues. I have no one to turn to — none [16], save only one, who cares for me, and he, poor fellow, can be of little aid.

---

1. **return ticket :** la dame avait gardé la partie du ticket valable pour le retour.

2. **palm** [pɑːm] : la partie du gant qui recouvre la paume de la main : *l'empaumure.*

3. **must have started :** ici must exprime la probabilité.

4. **dog-cart :** *cabriolet,* voiture légère, à deux roues, tirée par un cheval.

5. **heavy roads :** *routes au sol rendu lourd par la pluie.*

6. **to give a violent start :** *avoir un brusque sursaut* (de surprise) ; to start : *sursauter ;* cf. to startle : *faire sursauter.*

7. **to stare at :** *regarder fixement.*

8. **bewilderment** [bɪˈwɪldəmənt] : *ahurissement.*

9. **to spatter with :** *éclabousser de.* « La manche gauche est éclaboussée de boue en pas moins de sept endroits. »

10. **save (except) :** *sauf ;* save that : *excepté, sauf que.*

16

« Il ne faut pas avoir peur, » dit-il d'un ton apaisant, tout en se penchant vers elle et en lui tapotant le bras. « Je suis sûr que nous aurons vite fait de régler cette affaire. Vous êtes venue par le train, ce matin, à ce que je vois. »

« Vous me connaissez donc ? »

« Pas du tout, mais je remarque dans la paume de votre gant gauche la moitié d'un billet aller et retour. Vous avez dû partir tôt et vous avez fait un long trajet en cabriolet sur des routes détrempées avant d'arriver à la gare. »

La dame eut un sursaut et lança à mon compagnon un regard désorienté.

« Il n'y a aucun mystère dans ce que j'avance, chère Madame, » dit-il en souriant. « Il y a sur la manche gauche de votre jaquette au moins sept taches de boue parfaitement récentes. Seul un cabriolet peut éclabousser ainsi sa passagère, et ceci seulement lorsqu'elle est assise à la gauche du cocher. »

« Quel que soit votre raisonnement, vous ne vous trompez pas, » dit-elle. « J'ai quitté la maison avant six heures, suis arrivée à Leatherhead à six heures vingt et ai pris le premier train pour la gare de Waterloo. Monsieur, je ne peux absolument pas supporter cette tension nerveuse plus longtemps ; si cela continue, je deviendrai folle. Je n'ai personne à qui m'adresser, sauf quelqu'un qui me porte de l'intérêt, mais qui, le pauvre, ne peut guère m'apporter son aide.

---

11. **whatever your reasons may be :** le suffixe **ever** de sens indéfini s'ajoute à certains pronoms relatifs pour exprimer l'incertitude, le doute. **Whatever** s'emploie avec le subjonctif, **may**, pour renforcer l'idée de doute.

12. **Leatherhead :** la gare la plus proche.

13. **Waterloo** [wɔ:tə'lu:] : **Waterloo Station :** l'une des gares de Londres, desservant la région Sud et le Continent.

14. **sir** [sə] ou [sɛ:] : forme respectueuse pour s'adresser à un homme plus âgé ou de condition supérieure.

15. **I can stand this strain no longer :** forme comparative de l'adv. de temps : *longtemps.* Deux formes sont possibles : celle employée par C. Doyle et : **I cannot stand this strain any longer.** La première est plus expressive.

16. **none** [nʌn] : pronom négatif : **no one, nobody.**

I have heard of you[1], Mr Holmes ; I have heard of you from Mrs Farintosh, whom you helped in the hour of her sore[2] need. It was from her that I had your address. Oh, sir, do you not think[3] you could help me too, and at least throw a little light through the dense darkness which surrounds me ? At present it is out of my power to reward[4] you for your services, but in a month or two I shall be married, with the control of my own income, and then at least you shall[5] not find me ungrateful".

Holmes turned to his desk, and unlocking it, drew out a small case-book which he consulted.

"Farintosh," said he. "Ah, yes, I recall the case ; it was concerned with an opal tiara. I think it was before your time[6], Watson. I can only say, madam, that I shall be happy to devote the same care to your case as I did[7] to that of your friend. As to reward[8], my profession is its reward ; but you are at liberty to defray[9] whatever expenses I may be put to[10], at the time which suits you best[11]. And now I beg that you will lay[12] before us everything that[13] may help us in forming an opinion upon the matter."

---

1. **to hear of sbd** : *entendre parler de qqn.* Ne pas confondre avec **to hear from sbd** : *recevoir des nouvelles de qqn.*

2. **sore** [sɔ:] : adj. : *douloureux ; a sore throat : une gorge douloureuse = un mal de gorge ; contrarié, fâché ; to feel sore about sth : être contrarié par qqch ;* valeur adverbiale : *grandement ; to be in sore need : avoir grandement besoin de.*

3. **do you not think** : cette forme interro-négative s'emploie lorsqu'on attend une réponse affirmative. L'anglais contemporain lui préfère la forme contractée : **Don't you think ?**

4. **to reward** : *récompenser qqn* (financièrement) pour un service rendu. **To pay** était jugé trop brutal à l'époque victorienne.

5. **shall** : lorsque l'auxiliaire **shall** (futur) est employé à la 2e pers., sing. ou pl., il exprime une détermination, ou une promesse.

6. **before your time** : l'auteur évoque la période où il ne connaissait pas encore le Dr Watson.

7. **as I did** : reprise du verbe **devote**.

J'ai entendu parler de vous, M. Holmes ; j'ai entendu parler de vous par Mme Farintosh, que vous avez assistée alors qu'elle en avait grand besoin et qui m'a donné votre adresse. Oh ! Monsieur, ne croyez-vous pas que vous pourriez m'aider, moi aussi, pour au moins dissiper quelque peu les profondes ténèbres qui m'environnent ? Il m'est impossible à l'heure actuelle de vous rétribuer pour vos services, mais dans quatre à six semaines je serai mariée et pourrai librement disposer de mes revenus ; vous verrez bien alors que vous n'avez pas eu affaire à une ingrate. »

Holmes se tourna vers son bureau et après l'avoir ouvert, en tira un carnet qu'il compulsa.

« Farintosh, » dit-il. « Certes, je me rappelle cette affaire ; il s'agissait d'un diadème orné d'opales. Je crois que je ne vous connaissais pas encore, Watson. Permettez-moi de vous assurer, Madame, que je serai heureux d'apporter à votre affaire autant d'application qu'à celle de votre amie. Pour ce qui est de mes honoraires, sachez que ma profession est en elle même une récompense suffisante ; toutefois, au moment que vous jugerez le plus opportun, vous pourrez me rembourser toutes les dépenses que j'aurai été amené à engager. Et maintenant je vous prie de nous exposer tous les faits qui peuvent nous aider à nous former une opinion quant à votre problème.

---

8. **as to reward** : **reward** est ici un nom. On pourrait aussi dire **as for, as regards.** Ces expressions doivent être employées en tête de phrase.

9. **to defray** : *rembourser les frais encourus.*

10. **to put sbd to some expenses** : *faire engager des dépenses à qqn.* Ici, la postposition est rejetée après **put**.

11. **that suits you best** : *qui vous conviendra le mieux.*

12. **to lay, laid, laid** : v. irr. transitif : *poser, mettre, étendre,* ici *expliquer.* Ne pas confondre avec **to lie, lay, lain** (intransitif) : *être couché, être étendu ;* ni avec **to lie, lied, lied** (v. régulier intransitif) : *mentir.*

13. **that** : relatif objet. Son emploi est obligatoire à la place de **which** lorsque dans l'antécédent figurent : **all, every, only, very** ou les superlatifs, y compris **first** et **last.**

"Alas !" replied our visitor. "The very horror[1] of my situation lies in the fact that my fears are so vague, and my suspicions depend so entirely upon small points, which might seem trivial to another, that even he to whom of all others I have a right[2] to look for[3] help and advice looks upon[3] all that I tell him about it as the fancies of a nervous woman. He does not say so, but I can read it from his soothing answers and averted eyes. But I have heard, Mr Holmes, that you can see deeply into the manifold[4] wickedness of the human heart. You may advise me how to walk amid[5] the dangers which encompass me."

"I am all attention, madam."

"My name is Helen Stoner, and I am living with my stepfather[6], who is the last survivor of one of the oldest Saxon[7] families in England, the Roylotts of Stoke Moran, on the Western border of Surrey."

Holmes nodded his head. "The name is familiar to me," said he.

"The family was at one time among the richest in England, and the estate extended over the borders into Berkshire[8] in the north, and Hampshire[8] in the west. In the last century, however, four successive heirs were of a dissolute and wasteful[9] disposition and the family ruin was eventually completed by a gambler[10], in the days of the Regency[11].

---

1. **the very horror :** ici **very** est adj. pour insister sur le nom : *l'horreur même de ma situation.*
2. **I have a right :** on emploie dans cette expression l'article défini ou indéfini, mais la traduction est toujours : *j'ai le droit de.* Rapprocher de : **to make a fire :** *faire du feu,* **to make a noise :** *faire du bruit.*
3. **to look for :** *chercher, attendre, espérer ;* **to look upon :** *examiner, considérer, envisager.*
4. **manifold** ['mænifəuld] : *divers, nombreux, multiple ;* **threefold :** *triple ;* **a threefold blessing :** *une triple bénédiction.*
5. **to walk amid :** *marcher parmi, au milieu de ;* **amid** = among.
6. **stepfather :** *second mari de la mère veuve ou divorcée.*
7. **Saxons :** peuplades germaniques qui conquirent l'Angle-

20

« Hélas ! » répliqua notre visiteuse, « ce qui rend ma situation si horrible, c'est que les craintes que j'éprouve sont bien vagues, et mes soupçons fondés seulement sur des petits détails que n'importe qui d'autre pourrait juger insignifiants ; et même celui de qui je suis en droit d'espérer conseil et assistance considère tout ce que je lui rapporte à ce sujet comme les fantasmes d'une femme trop nerveuse. Il ne me le dit pas, mais ses réponses apaisantes et son regard qui évite le mien me le font bien comprendre. On m'a rapporté, M. Holmes, que vous étiez capable de pénétrer les aspects multiples de la vilenie du cœur humain. C'est pourquoi vous pourriez me guider à travers les dangers qui m'entourent. »

« Vous avez toute mon attention, Madame. »

« Je m'appelle Hélène Stoner, et je vis à la limite ouest du Surrey, chez mon beau-père qui est le dernier survivant de l'une des plus anciennes familles saxonnes d'Angleterre, les Roylott de Stoke Moran.

Holmes fit un signe de tête. « Ce nom m'est familier, » dit-il.

« Il fut un temps où cette famille était parmi les plus riches d'Angleterre et ses terres s'étendaient jusque dans le Berkshire au nord et le Hampshire à l'ouest. Toutefois au siècle dernier, quatre héritiers successifs dilapidèrent leurs biens à force de débauche et de prodigalité, puis, au temps de la Régence, un joueur invétéré acheva la ruine de la famille.

---

terre aux Ve et VIe siècles. Ici l'auteur insiste sur l'ancienneté de la famille Roylott.

8. **Berkshire** [bɛːk[ə] ; **Hampshire** [h'æmp[ə] : comtés du sud-est de l'Angleterre, limitrophes du **Surrey** au nord-ouest et à l'ouest.

9. **wasteful** : *porté à la dépense, au gaspillage*.

10. **gambler** : personne qui joue régulièrement et avec passion à des jeux d'argent.

11. **Regency** ['riːdʒənsi] : dans l'histoire d'Angleterre, période s'étendant de 1810 à 1820.

Nothing was left save a few acres[1] of ground and the two-hundred-year-old house, which is itself crushed under a heavy mortgage[2]. The last squire[3] dragged out his existence there, living the horrible life of an aristocratic pauper[4], but his only son, my stepfather, seeing that he must adapt himself to the new conditions, obtained an advance from a relative, which enabled him to take a medical degree[5], and went out to Calcutta[6], where, by his professional skill and his force of character, he established a large practice. In a fit of anger[7], however, caused by some robberies which had been perpetrated in the house, he beat his native butler to death[8], and narrowly escaped a capital sentence. As it was, he suffered a long term of imprisonment[9], and afterwards returned to England, a morose and disappointed man[10].

"When Dr Roylott was in India[11] he married my mother, Mrs Stoner, the young widow of Major-General Stoner, of the Bengal[12] Artillery. My sister Julia and I were twins, and we were only two years old at the time of my mother's remarriage. She had a considerable sum of money, not less than a thousand a year, and this she bequeathed to Dr Roylott entirely whilst we resided with him, with a provision[13] that a certain annual sum should be allowed[14] to each of us in the event of our marriage[15].

---

1. **acre** [e'ɪkr] : mesure agraire ; équivaut à 4046,86 mètres carrés. 2 acres valent approximativement 1 hectare.
2. **crushed under a heavy mortgage :** *écrasée par une lourde hypothèque.*
3. **squire** [skwaɪə] : *propriétaire terrien, châtelain.*
4. **pauper :** *indigent* qui vit de la charité officielle.
5. **degree :** *titre, diplôme universitaire.*
6. **Calcutta** [kæl'kʌtə] : grande ville de l'Inde orientale, dans le Bengale occidental.
7. **a fit of anger :** *une crise de colère ;* cf. **a fit of apoplexy :** *une attaque d'apoplexie.*
8. **to beat to death :** *battre jusqu'à la mort ;* **to choke to death :** *étouffer jusqu'à la mort ; périr étouffé ;* **to starve to death :** *souffrir de la faim jusqu'à la mort ; mourir de faim.*
9. **a term of imprisonment :** *une période déterminée d'emprisonnement.*

Il ne laissa que quelques hectares de terres et une maison vieille de deux cents ans, lourdement hypothéquée. Le dernier propriétaire y traîna l'affreuse existence d'un aristocrate sans ressources ; mais son fils unique, mon beau-père, comprenant qu'il lui fallait s'adapter aux conditions nouvelles, obtint d'un proche parent un prêt qui lui permit de mener à bien ses études médicales ; il partit s'établir à Calcutta où, grâce à sa compétence professionnelle et sa force de caractère, il se créa une importante clientèle. Cependant, pris d'un accès de colère provoqué par quelques larcins commis dans sa maison, il roua de coups son majordome indigène qui en mourut, et il échappa de peu à une condamnation à mort. Néanmoins, il dut purger une lourde peine de prison, et, à sa libération, rentra en Angleterre, en proie à l'amerturme et à la désillusion.

« Pendant que le Dr Roylott vivait aux Indes, il épousa ma mère, Mme Stoner, veuve encore jeune du Général de division Stoner, commandant l'Artillerie du Bengale. Ma sœur Julia et moi-même étions jumelles, et nous n'avions que deux ans lorsque ma mère s'est remariée. Elle avait une fortune considérable, — au moins mille livres de revenus par an — qu'elle légua en totalité au Dr Roylott alors que nous vivions avec lui, une clause stipulant qu'une certaine rente annuelle devrait être versée à chacune de nous, au cas où nous nous marierions.

---

10. **returned to England, a morose and disappointed man :** emploi de l'article indéfini devant un nom sing. attribut : « *il rentra en Angleterre, homme amer et désabusé* ».

11. **India :** au moment du récit de C. Doyle, l'Inde était une colonie anglaise.

12. **Bengal :** ancienne province au nord-est de l'Inde, ville principale : Calcutta.

13. ▲ **provision :** *clause restrictive* dans un testament.

14. **that a... sum should be allowed :** subj. exprimant l'idée d'une stipulation expresse.

15. **marriage :** *union légale* d'un homme et d'une femme ; ne pas confondre avec **wedding :** *la cérémonie du mariage.* Ici l'équivalent serait : **in the event of our getting married.**

Shortly after our return to England my mother died — she was killed eight years ago in a railway accident near Crewe [1]. Dr Roylott then abandoned his attempts to establish himself in practice [2] in London, and took us to live with him in the ancestral house at Stoke Moran. The money which my mother had left was enough for all our wants, and there seemed no obstacle to our happiness.

"But a terrible change came over our stepfather [3] about this time. Instead of making friends and exchanging visits with our neighbours, who had at first been overjoyed to see a Roylott of Stoke Moran back in the old family seat [4], he shut himself up in his house, and seldom came out save to indulge in [5] ferocious quarrels with whoever [6] might cross his path. Violence of temper approaching to mania has been hereditary in the men of the family [7], and in my stepfather's case it had, I believe, been intensified by his long residence in the tropics. A series of disgraceful brawls [8] took place, two of which ended in the police-court [9], until at last he became the terror of the village, and the folks [10] would fly [11] at his approach, for he is a man of immense strength, and absolutely uncontrollable in his anger.

---

1. **Crewe** [kru:] : ville du **Cheshire**, comté dans l'ouest de l'Angleterre, chef-lieu : **Chester**.
2. **to establish himself in practice :** *s'installer comme docteur* et se créer une clientèle.
3. **came over our stepfather :** *prit possession de, envahit complètement* (**over**).
4. **seat :** grande maison aristocratique au milieu d'un vaste domaine.
5. **to indulge in sth** ou **in doing sth :** *se permettre le plaisir, le luxe de...* ; ▲ **indulgence** : *plaisir, jouissance,* l'indulgence se dit **leniency**.
6. **whoever :** pronom relatif sujet de **might** : *qui que ce soit qui..., quiconque.* **Whoever** s'emploie aussi bien comme sujet que comme objet, là où l'on attendrait **whomever**.

Ma mère mourut peu de temps après notre retour en Angleterre ; elle fut victime, il y a huit ans, d'un accident de chemin de fer près de Crewe. Le Dr Roylott abandonna alors toute idée de s'établir à Londres comme médecin et nous emmena vivre avec lui dans la vieille maison ancestrale de Stoke Moran. L'argent que ma mère lui avait légué suffisait à pourvoir à tous nos besoins et rien ne semblait pouvoir faire obstacle à notre bonheur.

« Mais à cette époque un terrible changement affecta notre beau-père. Au lieu de se faire des amis et d'établir des relations mondaines avec nos voisins qui avaient été d'abord ravis de voir un Roylott de Stoke Moran réintégrer le vieux manoir de la famille, il s'enferma chez lui, d'où il sortait rarement sinon pour chercher violemment querelle à quiconque se trouvait par hasard sur son chemin. Tous les hommes de cette famille ont fait montre, génération après génération, d'un caractère violent qui frôlait la folie, et en ce qui concerne mon beau-père, ce comportement avait, je le crois, été aggravé par son séjour prolongé sous les Tropiques. Toute une série de bagarres scandaleuses se produisirent, dont deux se terminèrent devant le tribunal de simple police. Finalement mon beau-père devint la terreur du village et les habitants fuyaient à son approche, car c'est un homme d'une force inouïe, qui, lorsqu'il est en colère, ne se connaît plus.

---

7. « *la violence du caractère, frôlant la folie, est héréditaire chez les hommes de cette famille* » ; **mania** : ['meiniə] *folie furieuse ; une manie,* **a queer habit.**
8. **brawl :** *dispute tapageuse* se terminant souvent par une rixe.
9. **police-court :** *tribunal* où l'on juge les infractions légères.
10. **folks** [fəuks] : *les gens* (du village).
11. **would fly : would** exprime la répétition, l'habitude et correspond à l'imparfait français.

"Last week he hurled the local[1] blacksmith over a parapet into a stream and it was only by paying over all the money that I could gather together[2] that I was able to avert[3] another public exposure[4]. He had no friends at all save the wandering gipsies[5], and he would give these vagabonds leave to encamp upon the few acres of bramble-covered[6] land which represent the family estate, and would accept in return the hospitality of their tents, wandering away with them sometimes for weeks on end[7]. He has a passion also for Indian animals, which are sent over to him by a correspondent, and he has at this moment a cheetah and a baboon, which wander freely over his grounds[8], and are feared by the villagers almost as much as their master.

"You can imagine from what I say that my poor sister Julia and I had no great pleasure in our lives. No servant would[9] stay with us, and for a long time we did all the work of the house. She was but[10] thirty at the time of her death, and yet her hair had already begun to whiten, even as[11] mine has."

"Your sister is dead, then ?"

"She died just two years ago[12], and it is of her death that I wish to speak to you. You can understand that, living the life which I have described, we were little likely[13] to see anyone of our own age and position.

---

1. **local :** *de notre village ;* cf. **the local :** *le bistrot du village,* **the locals :** *les gens du coin.*

2. **gather together :** forme pléonastique, exprime la difficulté rencontrée par Miss Stone pour réunir l'argent.

3. **to avert :** forme littéraire pour **to avoid :** *éviter.*

4. **exposure :** *action honteuse révélée au grand jour ; scandale.* Cf. **to expose :** *révéler, démasquer.*

5. **gypsies** (ou **gipsies**) **:** membres de tribus vagabondes vivant dans des roulottes que l'on croyait en France originaires de Bohême (bohémiens), en Angleterre d'Égypte, d'où **gypsies** dérivé de **Egyptians.**

6. **brambles :** *ronces,* donnant des fruits noirs : **blackberries.** Ne pas confondre avec *le mûrier,* arbre méditerranéen dont les feuilles étaient utilisées pour l'élevage des vers à soie : **the mulberry tree. Bramble-covered** est un adj. composé : nom + p. p. : **covered with brambles.**

« La semaine dernière il a précipité le maréchal-ferrant du village dans la rivière par-dessus le parapet, et ce n'est qu'en donnant tout l'argent que j'ai pu réunir à grand-peine, que j'ai réussi à lui éviter un nouveau scandale public. Il n'a pour amis que des bohémiens nomades, auxquels il donne permission de camper sur les quelques arpents de terre couverts de ronces qui constituent le domaine familial, et, en retour, accepte leur hospitalité sous leurs tentes, allant parfois jusqu'à les accompagner dans leurs pérégrinations, pendant des semaines et des semaines. Il a aussi une passion pour les animaux des Indes, qu'un correspondant lui expédie de ce pays ; en ce moment il a un guépard et un babouin qui errent sur ses terres en toute liberté et sèment la panique parmi les villageois, presque autant que le fait leur maître.

« Vous pouvez imaginer d'après mon récit que ma pauvre sœur Julia et moi ne menions pas une vie bien agréable. Aucun domestique n'acceptait jamais de rester à notre service, et pendant longtemps nous avons fait tout le travail de la maison. Julia n'avait que trente ans lorsqu'elle est morte, et pourtant ses cheveux avaient commencé à blanchir, tout comme les miens d'ailleurs. »

« Votre sœur est donc morte ? »

« Oui, il y a tout juste deux ans, et c'est de sa mort que je veux vous entretenir. Il vous est facile de voir que, menant le genre de vie que je vous ai décrit, nous avions peu de chances de fréquenter des gens de notre âge et de notre condition.

---

7. **for weeks on end :** on end = continuously : *sans interruption.*
8. **grounds :** pluriel invariable dans le sens de *jardins, parc,* entourant un bâtiment clos par des haies, murs ou barrières.
9. **would :** exprime ici la volonté, l'obstination dans le refus.
10. **but** = only : *ne... que.*
11. **even as :** exactly, precisely as.
12. **ago :** précise combien de temps s'est écoulé depuis l'action mentionnée. Il s'emploie donc avec le temps verbal qui indique une action révolue : le prétérit **(she died).**
13. **we were little likely :** likely, adj., exprime une forte probabilité ; quant à **little,** il a une valeur négative : *il était très peu vraisemblable que nous...*

We had, however, an aunt, my mother's maiden [1] sister, Miss Honoria Westphail, who lives near Harrow [2], and we were occasionally allowed to pay short visits at this lady's house. Julia went there at Christmas two years ago, and met there a half-pay Major of Marines [3], to whom she became engaged. My stepfather learned of the engagement [4] when my sister returned, and offered no objection [5] to the marriage ; but within [6] a fortnight [7] of the day which had been fixed for the wedding, the terrible event occurred which has deprived me of my only companion."

Sherlock Holmes had been leaning back in his chair with his eyes closed, and his head sunk in a cushion, but he half opened his lids now, and glanced across at his visitor.

"Pray be precise as to details," said he.

"It is easy for me to be so, for every event of that dreadful time is seared [8] into my memory. The manor house is, as I have already said, very old, and only one wing is now inhabited. The bedrooms in this wing are on the ground floor, the sitting-rooms being in the central block of the buildings. Of these bedrooms the first is Dr Roylott's [9], the second my sister's, and the third my own [10]. There is no communication between them, but they all open out into the same corridor. Do I make myself plain [11] ?"

"Perfectly so."

---

1. **maiden :** de **maid** : *jeune fille non mariée ; bonne, servante :* it's the maid's day off : *c'est le jour de sortie de la bonne.*

2. **Harrow on the Hill** ['hærəu] : petite ville de la grande banlieue londonienne, célèbre pour la **public school** du même nom, fondée en 1571.

3. **a half-pay Major of Marines :** half-pay : *solde réduite* donnée à un officier qui n'exerce pas son métier, mais n'est pas encore à la retraite ; **major** : grade entre ceux de capitaine et lieutenant-colonel ['meidʒə] *commandant ;* **marines** [mə'ri:nz] *soldats d'infanterie* embarqués sur des navires de guerre et entraînés aux opérations amphibies.

4. **my stepfather learned of the engagement :** « *mon beau-père fut informé des fiançailles* » ; **learned of** = was informed of.

5. **offered no objection** = expressed no objection : *n'exprima aucune objection.*

28

Cependant, nous avons une tante, la sœur non mariée de notre mère, Miss Honoria Westphail, qui habite près de Harrow, et de temps en temps, notre beau-père nous permettait de lui rendre de courtes visites. Il y a deux ans, Julia s'y rendit pour Noël, et y fit la connaissance d'un commandant d'infanterie de marine en demi-solde, avec qui elle se fiança. Lorsque ma sœur rentra, elle informa mon beau-père de ses fiançailles, et celui-ci n'éleva aucune objection à cette union. Mais, moins de quinze jours avant la date qui avait été fixée pour la cérémonie, cet affreux malheur vint me priver de mon unique compagne. »

Sherlock Holmes s'était renversé dans son fauteuil, les yeux clos, la tête enfoncée dans un coussin, mais à ce moment-là, il souleva les paupières et jeta un rapide coup d'œil à son interlocutrice.

« Je vous prie d'être très précise dans les détails », dit-il.

« Cela me sera facile, car chaque particularité de ces épouvantables instants est restée gravée de manière indélébile dans ma mémoire. Comme je vous l'ai déjà dit, le château est très vieux, et une seule des deux ailes est habitée à l'heure actuelle. Dans cette aile, les chambres sont au rez-de-chaussée, tandis que les salons occupent la partie centrale du bâtiment. La première de ces chambres est celle du Dr Roylott, la seconde, celle de ma sœur et la troisième, la mienne. Il n'y a aucune communication entre ces pièces, mais toutes trois donnent sur le même couloir. Est-ce que je me fais bien comprendre ? »

« Parfaitement. »

---

6. **within** : à l'intérieur d'une période ou d'une distance ; **within an hour** : *en moins d'une heure ;* **within a mile** : *à moins de deux kilomètres.*

7. **a fortnight** : période de *deux semaines* **(fourteen nights).**

8. **seared** : **(to sear** [siǝr]) : « *gravé au fer rouge (dans ma mémoire)* ».

9. **of these bedrooms the first is Dr Roylott's :** cas possessif après lequel **bedroom** est sous-entendu car sa répétition n'est pas indispensable à la compréhension de la phrase.

10. **my own** : sous-entendu **bedroom** ; équivaut au pron. possessif : **mine.**

11. **do I make myself plain ?** : plain = *clair, facile à comprendre.*

"The windows of the three rooms open out upon [1] the lawn. That fatal night Dr Roylott had gone to his room early, though we knew that he had not retired to rest [2], for my sister was troubled by the smell of the strong Indian cigars which it was his custom to smoke. She left her room, therefore, and came into mine [3], where she sat [4] for some time, chatting [5] about her approaching wedding. At eleven o'clock she rose to leave me, but she paused at the door and looked back.

"Tell me, Helen," said she, "have you ever heard anyone whistle in the dead of the night [6] ?"

"Never," said I.

"I suppose that you could not possibly [7] whistle yourself in your sleep ?"

"Certainly not. But why ?"

"Because during the last few nights I have always, about three in the morning, heard a low clear whistle. I am a light sleeper, and it has awakened me. I cannot tell where it came from — perhaps from the next room, perhaps from the lawn. I thought that I would just ask [8] you whether you had heard it."

"No, I have not. It must be those wretched [9] gipsies in the plantation [10]."

"Very likely. And yet if it were on the lawn I wonder that you did not hear it also."

"Ah, but I sleep more heavily than you."

"Well, it is of no great consequence, at any rate [11],"

---

1. **open out upon :** *ouvrir sur, donner sur.*
2. **retired to rest ;** to retire (litt.) = to go to bed : *aller se coucher ;* to retire to rest est donc une sorte de pléonasme.
3. **mine :** pron. possessif, 1re pers. sing., pl. : *le mien, la mienne, les miens, les miennes.*
4. **she sat :** lorsque to sit, to lie, sont employés sans postposition (**down, up**) ils expriment une position et non un mouvement, *être assis, être couché ;* to sit **down** : *s'asseoir ;* to lie **down** : *se coucher.*
5. **to chat :** *s'entretenir, bavarder amicalement* avec qqn.
6. **in the dead of the night :** *lorsque tout semble mort la nuit ;* cf. in the dead of winter : *au cœur de l'hiver.*
7. **I could not possibly :** possibly marque un renforcement de l'idée de possibilité physique exprimée par **could**.

« Les fenêtres des trois chambres donnent sur la pelouse. Cette funeste nuit-là, le Dr Roylott s'était retiré tôt, bien qu'à notre connaissance il ne se fût pas couché, car ma sœur fut incommodée par la forte odeur des cigares indiens, qu'il fume d'ordinaire. C'est pour cela qu'elle quitta sa chambre et vint dans la mienne, où elle resta assise un certain temps, à causer de son mariage tout proche. A onze heures, elle se leva pour se retirer, mais s'arrêta sur le pas de la porte, et se retournant, me regarda.

« Dis-moi, Hélène, » fit-elle, « as-tu jamais entendu quelqu'un siffler au cœur de la nuit ? »

« Jamais », répondis-je.

« Je suppose que ce n'est pas toi qui éventuellement sifflerais dans ton sommeil ? »

« Certainement pas. Mais pourquoi ? »

« Parce que ces dernières nuits j'ai chaque fois entendu, vers trois heures du matin, un faible sifflement parfaitement distinct. J'ai le sommeil léger, et ce bruit m'a réveillée. Je ne peux pas dire d'où il venait — peut-être de la chambre voisine, peut-être de la pelouse. Je tenais à te demander si tu l'avais entendu. »

« Non, absolument pas. Ce sont sans doute ces maudits bohémiens qui campent dans le bois. »

« C'est fort probable. Et pourtant s'il venait de la pelouse, je me demande pourquoi tu ne l'aurais pas entendu toi aussi. »

« Ma foi, c'est parce que j'ai le sommeil plus lourd que toi. »

« Oh ! cela n'a pas beaucoup d'importance, en tout cas. »

---

8. **I would just ask : would** exprime l'intention = **I just wanted to.**

9. **wretched** ['retʃid] : marque l'antipathie et même l'aversion.

10. **plantation :** *terrain planté d'arbres* pour l'exploitation du bois.

11. **at any rate** = **in any case** : *en tout cas.*

she smiled back[1] at me, closed my door, and a few moments later I heard her key turn in the lock."

"Indeed," said Holmes. "Was it your custom always to lock yourselves in at night ?"

"Always."

"And why ?"

"I think that I mentioned to you that the Doctor kept a cheetah and a baboon. We had no feeling of security unless our doors were locked."

"Quite so. Pray proceed with[2] your statement."

"I could not sleep[3] that night. A vague feeling of impending misfortune impressed me. My sister and I[4], you will recollect, were twins, and you know how subtle are the links which bind two souls which are so closely allied. It was a wild night. The wind was howling outside, and the rain was beating and splashing against the windows. Suddenly, amidst[5] all the hubbub[6] of the gale, there burst forth[7] the wild scream of a terrified woman. I knew that it was my sister's voice. I sprang from my bed, wrapped a shawl round me, and rushed into the corridor. As I opened my door I seemed to hear a low whistle, such as[8] my sister described, and a few moments later a clanging sound[9], as if a mass of metal had fallen. As I ran down the passage[10] my sister's door was unlocked, and revolved slowly upon its hinges. I stared at it horror-stricken[11], not knowing what was about to issue[12] from it.

---

1. **she smiled back at me :** back = *en retour ;* « *elle me sourit en retour* ».

2. **to proceed with :** forme un peu recherchée pour **to go on with** : *continuer, poursuivre.*

3. **I could not sleep :** impossibilité physique : *je ne pouvais pas dormir.*

4. **my sister and I :** I, pron. pers. sujet ; dans la langue moderne familière on trouve couramment : **my sister and me.**

5. **amid,** ou **amidst :** prép. litt. pour **among, in the middle of.**

6. **hubbub** ['hʌbʌb] : onomatopée qui crée l'atmosphère propre aux événements de cette nuit tragique.

7. **there burst forth :** litt. pour **burst out** ; exprime la

« Nous échangeâmes un sourire, puis elle referma ma porte, et quelques instants plus tard, j'entendis sa clé tourner dans la serrure. »

« Vraiment, » dit Holmes. « Vous aviez donc l'habitude de toujours vous enfermer dans votre chambre la nuit ? »

« Toujours. »

« Et pourquoi ? »

« Je crois vous avoir signalé que le docteur élevait un guépard et un babouin. Nous n'étions tranquilles que lorsque notre porte était fermée à clef. »

« Évidemment. Poursuivez votre exposition des faits, je vous prie. »

« Cette nuit-là, je ne pouvais pas trouver le sommeil. Le vague sentiment d'un malheur imminent m'accablait. Vous vous souvenez du fait que ma sœur et moi étions jumelles, et vous savez combien sont délicates les affinités qui unissent deux âmes si intimement liées. C'était une nuit de tempête. Dehors le vent hurlait et la pluie battante éclaboussait les vitres. Soudain, au milieu du tumulte de la tourmente, éclata le cri aigu et sauvage d'une femme terrifiée. Je reconnus la voix de ma sœur. D'un bond je fus hors du lit, m'enveloppai d'un châle, et me précipitai dans le couloir. Comme j'ouvrais ma porte, je crus entendre un sifflement assourdi, tel que ma sœur me l'avait décrit, et quelques instants plus tard un son métallique retentissant comme si une masse de métal était tombée. Comme je me précipitais en courant le long du couloir, la clé tourna dans la serrure et la porte de la chambre de ma sœur tourna lentement sur ses gonds. Frappée d'horreur je ne pouvais en détacher mon regard, ne sachant ce qui allait en sortir.

---

violence du cri poussé par Julia ; **there** introduit l'inversion du verbe et du sujet.

8. **such as** = **of the same kind as** : *de la même nature que, identique à.*

9. **a clanging sound** : *bruit métallique retentissant.*

10. **down the passage** = **along the passage** : *le long du couloir.*

11. **horror-stricken** : adj. composé, nom + part. passé de **to strike, struck, struck** ; la forme **stricken**, archaïque, n'est plus employée que comme adj. dans le sens de *affligé* ; **grief-stricken** : *accablé de douleur.*

12. **to issue** ['iʃuː] ou ['isjuː] (litt.) : = **to come out of**, *sortir de.*

By the light of the corridor lamp I saw my sister appear at the opening, her face blanched [1] with terror, her hands groping [2] for help, her whole figure swaying to and fro [3] like that of a drunkard. I ran to her and threw my arms round her, but at that moment her knees seemed to give way and she fell to the ground. She writhed as one who is in terrible pain, and her limbs were dreadfully convulsed. At first I thought that she had not recognized me, but as I bent over her she suddenly shrieked out in a voice which I shall never forget, "Oh, my God ! Helen ! It was the band ! the speckled band !"

There was something else which she would fain [4] have said, and she stabbed [5] with her finger into the air in the direction of the Doctor's room, but a fresh convulsion seized her and choked her words. I rushed out [6], calling loudly for my stepfather, and I met him hastening from his room in his dressing-gown. When he reached my sister's side she was unconscious, and though he poured brandy down her throat, and sent for medical aid [7] from the village, all efforts were in vain, for she slowly sank [8] and died without having recovered her consciousness. Such was the dreadful end of my beloved sister."

"One moment," said Holmes ; "are your sure about this whistle and metallic sound ? Could you swear to it [9] ?"

"That was what the county coroner [10] asked me at the inquiry.

---

1. **to blanch** (litt.) = to whiten, *rendre pâle* de terreur ou de froid.

2. **to grope** : *chercher à tâtons* (dans l'obscurité ou comme un aveugle).

3. **swaying to and fro** : to sway : *se balancer ;* to and fro : *d'un côté, puis de l'autre.*

4. **she would fain** : adv. = willingly : *volontiers ;* would : conditionnel : « *quelle aurait dit volontiers* ».

5. **to stab** : *poignarder, percer* : « *elle perça l'air de son doigt* ».

6. **I rushed out, (of the room, into the passage)** : *je me précipitai dans le couloir.*

7. **sent for medical aid** = sent for the doctor.

À la lueur de la lampe du couloir, je vis ma sœur paraître sur le seuil, le visage blême de terreur, les mains tendues cherchant quelque secours en tâtonnant, et titubant comme sous l'effet de l'alcool. Je courus à elle et la pris dans mes bras, mais à cet instant, ses genoux fléchirent et elle tomba à terre. Elle se tordait comme en proie à une insupportable souffrance et ses membres étaient secoués par d'affreuses convulsions. Tout d'abord je crus qu'elle ne m'avait pas reconnue, mais alors que je me penchais sur elle, elle se mit brusquement à hurler d'une voix que je n'oublierai jamais : « Oh, mon Dieu ! Hélène ! C'était la bande ! La bande mouchetée ! »

Elle aurait bien voulu ajouter quelque chose et pointa violemment du doigt vers la chambre du docteur, mais un nouveau spasme la terrassa et étouffa les mots dans sa gorge. Je me ruai dans le couloir, appelant à grands cris mon beau-père ; je le rencontrai alors qu'il arrivait en toute hâte, vêtu de sa robe de chambre. Quand il fut près de ma sœur, cette dernière avait perdu connaissance ; il lui fit avaler du cognac et envoya chercher le médecin au village, mais tous ces efforts furent vains, car elle entra peu à peu dans le coma et mourut sans revenir à elle. Telle fut l'horrible fin de ma sœur bien-aimée. »

« Un instant, » dit Holmes ; « êtes-vous sûre d'avoir entendu ce sifflement et ce bruit métallique ? Pourriez-vous le jurer sous serment ? »

« C'est la question que m'a posée le coroner lors de l'enquête.

---

8. **slowly sank** : to sink (sank, sunk) : *s'enfoncer, couler* (navire), *s'enfoncer dans le coma.*
9. **could you swear to it ?** : to swear (swore, sworn) = **could you swear that you heard these sounds** : *pourriez-vous jurer avoir entendu ces bruits ?* **to swear** : *jurer, proférer des insultes ;* a **swearword** : *un juron.*
10. **county coroner** : officier de police judiciaire du comté, *coroner.*

It is my strong impression that I heard it, and yet among the crash of the gale, and the creaking of an old house, I may possibly[1] have been deceived."

"Was your sister dressed ?"

"No, she was in her nightdress. In her right hand was found the charred[2] stump[3] of a match, and in her left a matchbox."

"Showing that she had struck a light and looked about[4] her when the alarm took place[5]. That is important. And what conclusions did the coroner come to ?"

"He investigated the case with great care, for Dr Roylott's conduct had long been notorious[6] in the county[7], but he was unable to find any satisfactory cause of death. My evidence showed that the door had been fastened upon the inner side[8], and the windows were blocked by old-fashioned shutters with broad iron bars, which were secured[9] every night. The walls were carefully sounded, and were shown to be quite solid all round, and the flooring[10] was also thoroughly examined, with the same result.

"The chimney[11] is wide, but is barred up by four large staples[12]. It is certain, therefore, that my sister was quite alone when she met her end[13]. Besides[14], there were no marks of any violence upon her."

"How about poison ?"

"The doctors examined her for it, but without success."

---

1. **I may possibly** : possibly accentue ce qu'il y a d'incertain dans **may**.
2. **charred** : *carbonisé.*
3. **stump** : ce qui reste après que la partie principale a été coupée, brisée, usée ou brûlée : *un bout d'allumette carbonisé ;* cf. **the stump of a tree** : *la souche d'un arbre.*
4. **to look about** : to look around : *regarder tout autour.*
5. **the alarm took place** : alarm : *grande inquiétude, grande peur.*
6. **had long been notorious** : long, adv. de temps = *longtemps ;* le **pluperfect** exprime une durée dans le passé et se rend par l'imparfait, *était notoire depuis longtemps.*
7. **county** : l'Angleterre est divisée en *comtés* (appelés aussi **shires**) [ʃairz] qui sont l'unité administrative la plus importante de gouvernement local.

J'ai bien l'impression d'avoir entendu ces bruits, et pourtant dans la fureur de la tempête et avec les craquements de la vieille maison, il se peut vraiment que je me sois trompée. »

« Votre sœur était-elle habillée ? »

« Non, elle était en chemise de nuit. Dans la main droite elle tenait une allumette à demi consumée, et dans la gauche une boîte d'allumettes. »

« Ceci montre qu'elle a gratté une allumette et regardé tout autour d'elle lorsque la peur l'a gagnée. Ceci est important. Et quelles furent les conclusions du coroner ? »

« Il a mené son enquête avec grand soin, car la conduite du Dr. Roylott était depuis longtemps connue dans tout le comté, mais il n'a pu découvrir la cause plausible de cette mort. Mon témoignage a établi que la porte avait été fermée à clef de l'intérieur, et que les fenêtres étaient bloquées par des volets d'un type ancien, pourvus de larges barres de fer que l'on assujettissait chaque soir. On sonda les murs avec soin, ils se révélèrent intacts sur toute leur surface, et le plancher a été également examiné minutieusement avec le même résultat.

« La cheminée est large, mais quatre forts barreaux scellés empêchent tout passage. Il est donc certain, que ma sœur était absolument seule quand elle trouva la mort. En outre, on n'a relevé sur elle aucune trace de violence. »

« A-t-on pensé au poison ? »

« Les docteurs ont fait des examens dans ce sens, mais n'ont rien trouvé. »

---

8. **the inner side :** inner, comparatif de **in**, s'emploie comme adj. dans le sens de *intérieur ;* le superlatif est **innermost** ou **inmost** : *intime, profond ;* **his inmost desires** : *ses désirs intimes.*

9. **to secure** [si'kjuər] : *rendre solide, fixer, assujettir.*

10. **flooring :** le matériau employé pour faire les planchers ; **floor** : *le plancher* lui-même.

11. **chimney :** conduit intérieur de la cheminée et partie extérieure qui dépasse du toit ; la partie où brûle le feu est le **fireplace, fireside** ou **hearth** : *le foyer, la cheminée.*

12. **staple :** barre de métal en forme de ⌐‿⌐ dont les deux extrémités (crampons) sont scellées dans les parois.

13. **met her end :** « *a rencontré sa fin (tragique)* ».

14. **besides :** adv., *en outre, aussi ;* ∆ **beside**, prép. *à côté de :* **beside the sea** : *au bord de la mer.*

"What do you think that this unfortunate lady died of, then ?"

"It is my belief that she died of pure fear and nervous shock, though what it was which frightened her I cannot imagine [1]."

"Where there gipsies in the plantation at the time ?"

"Yes, there are nearly always some there."

"Ah, and what did you gather from this allusion to a band — a speckled band [2] ?"

"Sometimes I have thought that it was merely [3] the wild talk of delirium, sometimes that it may have referred to some band of people, perhaps to these very gipsies in the plantation. I do not know whether the spotted handkerchiefs [4] which so many of them wear over their heads might have suggested the strange adjective which she used."

Holmes shook his head like a man who is far from being satisfied.

"These are very deep waters [5]", said he ; "pray go on with your narrative."

"Two years have passed since then, and my life has been until lately lonelier [6] than ever. A month ago, however, a dear friend, whom I have known for many years [7], has done me the honour to ask my hand in marriage. His name is Armitage — Percy Armitage — the second son of Mr Armitage, of Crane Water, near Reading [8]. My stepfather has offered no opposition to the match [9], and we are to be married [10] in the course of the spring.

---

1. Nous avons ici une inversion pour donner plus de vivacité à la phrase : **Though I cannot imagine what it was which frightened her.**

2. **a speckled band :** le passage de sept lignes qui suit justifie la traduction du titre de cette histoire ; Conan Doyle joue sur les deux sens du mot **band** : *une bande, un groupe* (des bohémiens) et *une bande, un ruban d'étoffe,* i.e. les écharpes mouchetées que portaient ces gitans.

3. **merely :** simply, only : *soulement, ne... que.*

4. **handkerchief :** 1) *mouchoir ;* 2) *écharpe, foulard ;* plur. handkerchiefs.

5. **to be in deep waters :** to be in serious trouble : *avoir de gros ennuis.*

6. **lonelier :** l'adj. lonely ['lɔunli] phonétiquement composé

« De quoi donc, selon vous, a pu mourir cette malheureuse jeune fille ? »

« Je pense que seuls la frayeur et le choc nerveux l'ont tuée, sans pouvoir imaginer ce qui a pu la terroriser ainsi. »

« Y avait-il des romanichels dans le bois à ce moment ? »

« Oui, ils sont là, à peu près en permanence. »

« Ah ! Et qu'avez-vous déduit de l'allusion qu'elle fit à une bande — une bande mouchetée ? »

« J'ai pensé tantôt que ce n'était que paroles extravagantes, qu'elle prononçait dans son délire, tantôt qu'elle pouvait faire allusion à une bande de gens, peut-être ces fameux bohémiens dans le bois. Les grands foulards mouchetés qu'un si grand nombre d'entre eux portent sur la tête, ont pu lui suggérer cet étrange adjectif. »

Holmes secoua la tête comme pour exprimer qu'il était loin d'être satisfait.

« Nous voici confrontés à de sérieuses difficultés », dit-il ; « je vous en prie, poursuivez votre récit. »

« Ceci est arrivé voici deux ans, et j'ai mené jusqu'à ces derniers temps une vie plus solitaire que jamais. Toutefois, il y a un mois, un ami cher, que je connais depuis des années, m'a fait l'honneur de me demander en mariage. Il s'appelle Armitage — Percy Armitage —, c'est le second fils de M. Armitage, de Crane Water près de Reading. Mon beau-père n'a élevé aucune objection à cette union, et nous devons nous marier au printemps.

---

de deux syllabes forme son comparatif comme un adj. court ; l'« y » final devient i lorsqu'on ajoute « er ».

7. **I have known him for many years** : lorsque l'action commencée dans le passé se poursuit dans le présent on emploie **for** pour exprimer la durée ; le verbe est au **pres. perfect** et se rend par le présent français.

8. **Reading** ['rediŋ] : ville universitaire dans le **Berkshire**.

9. **match** : *union, mariage ;* **to make a match of it** : *se marier.*

10. **we are to be married** : forme équivalente de **must** lorsque la phrase implique un arrangement, une décision prise pour un futur proche.

Two days ago some repairs were started in the west wing of the building, and my bedroom wall has been pierced, so that I have had to move [1] into the chamber in which my sister died, and to sleep in the very bed in which she slept.

Imagine, then, my thrill of terror when last night, as I lay awake, thinking over [2] her terrible fate, I suddenly heard in the silence of the night the low whistle which had been the herald [3] of her own death. I sprang up and lit the lamp, but nothing was to be seen in the room. I was too shaken to go to bed again, however, so I dressed, and as soon as it was daylight I slipped down [4], got a dog-cart at the Crown Inn, which is opposite [5], and drove to Leatherhead, from whence [6] I have come on this morning, with the one object [7] of seeing you and asking your advice."

"You have done wisely [8]," said my friend. "But have you told me all ?"

"Yes, all."

"Miss Stoner, you have not. You are screening [9] your stepfather."

"Why [10], what do you mean ?"

For answer Holmes pushed back the frill [11] of black lace which fringed [12] the hand that lay upon our visitor's knee. Five little livid spots, the marks of four fingers and a thumb, were printed upon the white wrist.

---

1. **I have had to move** : équivalent au passé de **must** marquant l'obligation.
2. **to think over** : *retourner ses pensées* (**over**) *dans sa tête.*
3. **herald** : personne ou chose qui annonce l'arrivée de qqch ou de qqn, *le héraut, l'annonciateur.*
4. **slipped down** : slip : *se déplacer sans bruit* pour ne pas attirer l'attention ; **down** = **away** : *quitter le château sans bruit.*
5. **opposite** ['ɔpəzit] : adj., *en face* (du château), ce qui permettra à Holmes d'établir son plan d'action (cf. page 70).
6. **whence** : adv. (litt.) = **from which place** ; C. Doyle n'avait donc pas besoin d'écrire **from whence**.
7. **the one object** : one, adj. = **only** : *unique, dans la seule intention de.*

Il y a deux jours, des travaux de réparation ont été entrepris dans l'aile ouest du château, et le mur de ma chambre a été percé, si bien qu'il m'a fallu emménager dans la chambre où ma sœur est morte, et coucher dans son propre lit.

Vous pouvez donc imaginer combien je fus épouvantée, la nuit dernière, alors que je ne dormais pas et méditais sur sa triste fin, d'entendre tout à coup, dans le silence de la nuit, le sifflement assourdi qui avait annoncé sa propre mort. Je bondis pour allumer la lampe, mais je ne vis rien dans la pièce. J'étais néanmoins trop bouleversée pour me recoucher, je m'habillai donc, et dès le point du jour je me glissai hors de la maison, louai un cabriolet à l'Auberge de la Couronne, en face du château, et me fis conduire à Leatherhead d'où je suis venue ce matin dans l'unique but de vous voir pour vous demander conseil. »

« Vous avez fort bien fait, » dit mon ami. « Mais m'avez-vous tout dit ? »

« Certainement. »

« Non Mademoiselle Stoner, c'est inexact. Vous couvrez votre beau-père. »

« Comment, que voulez-vous dire ? »

En guise de réponse, Holmes releva le volant de dentelle noire qui recouvrait le poignet de notre visiteuse, dont la main reposait sur son genou. Cinq petites taches livides étaient imprimées sur la blanche peau du poignet, représentant les marques de quatre doigts et d'un pouce.

---

8. m. à m. : *vous avez agi sagement.*

9. **to screen :** (cf. **a screen :** *un paravent*) *protéger, cacher à la vue, couvrir, ne pas révéler les agissements fautifs* de quelqu'un.

10. **why :** exclamatif : *comment !, eh bien ! ;* ▲ **why :** interrogatif : *pourquoi.*

11. **frill :** *bordure, volant d'étoffe* ou *de dentelle* servant d'ornement.

12. **to fringe :** *border* (cf. **a fringe :** *une frange*).

"You have been cruelly used [1]," said Holmes.

The lady coloured [2] deeply, and covered over her injured [3] wrist. "He is a hard man," she said, "and perhaps he hardly knows [4] his own strength."

There was a long silence, during which Holmes leaned his chin upon his hands and stared into the crackling fire.

"This is very deep [5] business," he said at last. "There are a thousand details which I should desire to know before I decide upon our course of action. Yet we have not a moment to lose. If we were to come to Stoke Moran today, would it be possible for us to see [6] over [7] these rooms without the knowledge of your step-father ?"

"As it happens, he spoke of coming into town [8] today upon some most important [9] business. It is probable that he will be away all day, and that there would be nothing to disturb you. We have a housekeeper [10] now, but she is old and foolish [11], and I could easily get her out of the way.".

"Excellent. You are not averse to [12] this trip, Watson ?"

"By no means [13]."

"Then we shall both come. What are you going to do yourself ?"

---

1. **you have been cruelly used** = cruelly treated : *maltraitée*.

2. **she coloured** = she blushed : *elle rougit*.

3. ▲ **injured** ['inʒəd] = hurt, wounded : *blessé* ; an injury : *une blessure* ; *une injure* : an abuse, an insult.

4. **he hardly knows** : hardly, adv. semi-négatif qui se place avant le verbe = *à peine, ne... guère*.

5. **deep** : *difficile à comprendre*, d'où *mystérieux, étrange*.

6. **would it be possible for us to see** : proposition infinitive prépositionnelle introduite par **for** = proposition subjonctive de style plus soutenu : **that we should (might) see** ; en anglais moderne on dirait plutôt : **could we see**.

7. **to see over** : *visiter, inspecter* ; **over**, idée de perfection = *partout*.

« On vous a fait subir de bien mauvais traitements, » dit Holmes.

La jeune fille rougit vivement et cacha son poignet meurtri. « C'est un homme dur, » dit-elle, « et sans doute ne connaît-il pas sa propre force. »

Un long silence s'établit, pendant lequel Holmes, le menton appuyé sur les mains, regardait fixement le feu qui pétillait.

« C'est une affaire bien étrange, » dit-il enfin. « Il y a mille détails que je souhaiterais connaître avant d'adopter une ligne d'action particulière. Pourtant, nous n'avons pas un instant à perdre. Si nous nous arrangions pour arriver à Stoke Moran aujourd'hui, pourrions-nous inspecter ces chambres sans que votre beau-père en soit informé ? »

« Il se trouve qu'il a parlé d'aller en ville aujourd'hui pour quelque affaire très importante. Il est probable qu'il sera absent toute la journée et que rien ne vous dérangerait. Nous employons actuellement une gouvernante, mais c'est une femme âgée, assez stupide, que je pourrais facilement éloigner. »

« Parfait. Vous ne vous opposez pas à cette visite, Watson ? »

« Nullement. »

« Donc nous irons tous les deux. Qu'allez-vous faire vous-même, Mademoiselle ? »

---

8. **town** : London.
9. **most important** : superlatif absolu = **very important** : *très important.*
10. **housekeeper** : personne employée pour tenir une maison.
11. ▲ **foolish** : *stupide, idiot ;* ▲ *fou, folle :* **insane, mad, crazy.**
12. **averse to** (ou **averse from**) : *peu disposé à, ennemi de.*
13. **by no means** = not at all : *en aucune façon ;* **by all means** = certainly : *bien sûr !*

43

"I have one or two things which I would wish to do now that I am in town. But I shall return by the twelve o'clock train, so as to be[1] there in time for your coming."

"And you may expect us early in the afternoon. I have myself some small business matters to attend to[2]. Will you not wait and breakfast[3] ?"

"No, I must go. My heart is lightened already since[4] I have confided my trouble to you. I shall look forward to[5] seeing you again this afternoon." She dropped her thick black veil over her face, and glided from the room[6].

"And what do you think of it all, Watson ?" asked Sherlock Holmes, leaning back[7] in his chair.

"It seems to me to be a most dark and sinister business."

"Dark enough[8] and sinister enough."

"Yet if the lady is correct in saying that the flooring and walls are sound, and that the door, window, and chimney are impassable, then her sister must have been undoubtedly alone when she met her mysterious end."

"What becomes, then, of[9] these nocturnal whistles, and what of the very peculiar words of the dying woman ?"

"I cannot think."

---

1. **so as to be** : exprime le but, *pour, afin de* ; équivalent : in order to be.
2. **to attend to some matters** = to deal with : *s'occuper de certaines questions.*
3. **to breakfast** : verbe assez rarement employé, on dit plutôt to **have breakfast** : *prendre son petit déjeuner.*
4. **since** : conjonct. temporelle, *depuis que* ; since : conjonct. de causalité, *puisque.*
5. **to look forward to** + gérondif : *attendre avec impatience* qqch d'agréable.
6. **she glided from the room** : to glide = *se déplacer avec aisance et sans bruit* ; « *glisser hors de la pièce* » ; cf. **a glider** : *un planeur.*
7. **leaning back** : to lean : *placer le buste dans une position inclinée* ; back : *en arrière.*

« J'ai une ou deux courses à faire puisque je suis en ville. Mais je m'en retournerai par le train de midi, afin de pouvoir vous accueillir. »

« Il est probable que nous arriverons au début de l'après-midi. J'ai moi-même à m'occuper de quelques détails professionnels. Ne voulez-vous pas, en attendant, prendre votre petit déjeuner ici ? »

« Non merci, il faut que je m'en aille. Je me sens déjà soulagée depuis que je vous ai confié mon inquiétude. Je me réjouis à l'avance à la pensée de vous revoir cet après-midi. » Elle rabattit son épaisse voilette sur son visage et s'éclipsa sans bruit.

« Et que pensez-vous de tout cela, Watson ? » demanda Sherlock Holmes en se renversant dans son fauteuil.

« Cela me semble une affaire bien mystérieuse et bien sinistre. »

« Elle l'est, en effet, considérablement. »

« Toutefois, si la dame ne fait pas erreur en affirmant que le plancher et les murs sont en parfait état, et que la porte, la fenêtre et la cheminée sont infranchissables, il ne fait pas de doute que sa sœur était seule lorsqu'elle a trouvé cette mort mystérieuse. »

« Que faites-vous donc de ces sifflements nocturnes, et des paroles très étranges de la moribonde ? »

« Je ne sais qu'en penser. »

---

8. **dark enough** : enough, adv. se place toujours après un adj., un verbe ou un adv. ; **enough**, adj. indéfini, peut se placer avant ou après un nom : **I have enough money** ou **I have money enough** : *j'ai assez d'argent.* ⚠ enough, après un adj. renforce parfois le sens de cet adjectif : **it's fair enough** : *c'est très satisfaisant.*
9. **what becomes of** : *qu'advient-il de.*

"When you combine the ideas of whistles at night, the presence of a band of gipsies who are on intimate terms with this old doctor, the fact that we have every reason to believe that the doctor has an interest in preventing [1] his stepdaughter's marriage, the dying allusion [2] to a band, and finally, the fact that Miss Helen Stoner heard a metallic clang, which might have been caused by one of those metal bars which secured the shutters falling back into their place, I think there is good ground to think [3] that the mystery may be cleared along those lines."

"But what, then, did the gipsies do ?"

"I cannot imagine."

"I see many objections to any such a theory."

"And so do I. It is precisely for that reason that we are going to Stoke Moran this day. I want to see whether the objections are fatal [4], or if they may be explained away [5]. But what, in the name of the devil !"

The ejaculation had been drawn from my companion by the fact that our door had been suddenly dashed open [6], and that a huge man framed himself in the aperture [7]. His costume was a peculiar mixture of the professional [8] and of the agricultural, having a black top-hat, a long frock-coat, and a pair of high gaiters, with a hunting-crop [9] swinging in his hand.

---

1. **to prevent sth :** *empêcher qqch ;* to prevent sbd from doing sth : *empêcher qqn de faire qqch.*
2. **the dying allusion :** forme très raccourcie pour : **the allusion of the dying woman** : *l'allusion de la mourante.*
3. **good ground to think** = a good reason for thinking : *une sérieuse raison de penser.*
4. **fatal** ['feitl] : *qui doit arriver inévitablement* parce que prescrit par le destin **(fate).**
5. **explained away :** dans la traduction française de bon nombre d'expressions verbales anglaises formées d'un verbe et d'une postposition, la postposition se rend par un verbe précisant l'action et le verbe anglais par un nom la décrivant : *supprimer* **(away)** *par une explication* **(explained)** ; cf. **to starve to death** = *mourir* **(death)** *d'inanition* **(starve).**

« Si vous combinez les indices des sifflements nocturnes, de la présence d'une bande de bohémiens qui sont en très bons termes avec ce vieux docteur, le fait que nous avons de bonnes raisons de croire que l'intérêt du docteur est d'empêcher le mariage de sa belle-fille, l'allusion faite par la mourante à une bande, et finalement le bruit métallique entendu par Miss Helen Stoner, lequel aurait pu être causé par la remise en place de l'une des barres de fer utilisées pour bloquer les volets, je crois que nous sommes fondés à penser que l'énigme peut être éclaircie selon ces données. »

« Mais dans ce cas, qu'ont donc fait les romanichels ? »

« Je n'en ai aucune idée. »

« Je vois bon nombre d'objections à une telle interprétation. »

« Moi aussi. C'est précisément pour cette raison que nous allons nous rendre à Stoke Moran aujourd'hui même. Je veux voir si ces objections sont irréfutables, ou si l'on peut les éliminer par une explication valable. Mais diable ! Qu'est cela ? »

Cette exclamation avait été arrachée à mon compagnon par le fait que la porte avait été ouverte brutalement et qu'un homme de forte corpulence se profilait dans l'encadrement de la porte. Sa mise était un mélange étrange de profession libérale et de paysannerie, car il portait un haut-de-forme noir, une longue redingote et une paire de guêtres montantes, et tenait à la main une cravache qu'il balançait.

---

6. **dashed open :** voir note ci-dessus ; « *lancée violemment ouverte* ».

7. **the aperture** ['æpətʃəṛ] (litt.) = **the opening** : *l'ouverture.*

8. ▲ **the professional :** appartenant à une profession libérale dans l'une des branches suivantes : architecture, médecine, théologie, droit, comptabilité ; *professionnel :* **vocational, occupational.**

9. **hunting-crop :** *fouet court* terminé par une boucle de cuir au lieu d'une lanière.

So tall was he [1] that his hat actually [2] brushed the cross-bar of the doorway, and his breadth [3] seemed to span [4] it across from side to side. A large face, seared with a thousand wrinkles, burned yellow with the sun, and marked with every evil passion, was turned from one to the other of us, while his deep-set [5], bile-shot [6] eyes, and the high thin fleshless nose, gave him somewhat the resemblance to a fierce old bird of prey.

"Which of you is Holmes ?" asked this apparition.

"My name, sir, but you have the advantage of me [7]," said my companion quietly.

"I am Dr Grimesby Roylott, of Stoke Moran."

"Indeed, Doctor," said Holmes blandly. "Pray take a seat."

"I will do nothing of the kind. My stepdaughter has been here. I have traced [8] her. What has she been saying to you ?"

"It is a little cold for the time of the year," said Holmes.

"What has she been saying to you ?" screamed the old man furiously.

"But I have heard that the crocuses promise well," continued my companion imperturbably.

"Ha ! You put me off [9], do you [10] ?" said our new visitor, taking a step forward, and shaking his hunting-crop. "I know you, you scoundrel ! I have heard of you before. You are Holmes the meddler [11]."

My friend smiled.

---

1. **so tall was he :** il y a inversion du verbe et du sujet lorsque so (exclamation indirecte) suivi d'un adj. et exprimant la cause est placé en tête de phrase.

2. ▲ **actually :** *vraiment, réellement, bel et bien, en fait ;* actuellement : at present, at the moment.

3. **breadth :** *largeur ;* broad : *large ;* width : *largeur ;* wide : *large ;* height [hait] : *hauteur ;* high : *haut ;* length : *longueur ;* long : *long.*

4. **to span :** *s'étendre en largeur d'un côté à un autre.*

5. **deep-set :** adj. composé (adj. + p. p.), *enfoncés profondément* (dans leur orbite).

6. **bile-shot :** adj. composé (nom + p. p.), de to shoot (shot, shot) dans le sens de *parsemé de, empli de.*

7. **have the advantage of me :** connaître le nom d'une

48

Il était de si haute taille que son haut-de-forme frôlait effectivement le linteau de la porte, tandis que ses épaules, par leur carrure en remplissaient toute l'embrasure. Sa grosse figure burinée de mille rides, brunie par le soleil et reflétant toutes les passions d'un être malfaisant, se tournait successivement vers l'un de nous, puis l'autre, tandis que ses yeux enfoncés, jaunis par la bile, et son nez en lame de couteau, proéminent et décharné, le faisaient ressembler à quelque vieil oiseau de proie farouche.

« Lequel de vous deux est Holmes ? » demanda l'apparition.

« C'est bien mon nom, Monsieur ; mais je n'ai pas, moi, l'honneur de vous connaître », répliqua tranquillement mon camarade.

« Je suis le Dr Grimesby Roylott, de Stoke Moran. »

« Vraiment, Docteur, » dit Holmes avec affabilité. « Asseyez-vous, je vous prie. »

« Je n'en ferai rien. Ma belle-fille est venue ici, je l'ai suivie. Que vous a-t-elle dit ? »

« Il fait plutôt froid pour la saison, » dit Holmes.

« Que vous a-t-elle dit ? » hurla le vieil homme avec furie.

« Mais l'on m'a rapporté que les crocus s'annoncent bien, » poursuivit imperturbablement mon compagnon.

« Ah ! Vous voulez me déconcerter à tout prix ? » dit notre nouvel interlocuteur, avançant d'un pas et brandissant sa cravache. « Je vous connais, espèce de gredin ! J'ai déjà entendu parler de vous. Vous êtes Holmes, celui qui fourre son nez partout. »

Mon ami sourit.

---

personne qui ne vous connaît pas, être donc dans une position de supériorité : *vous avez l'avantage sur moi.*
8. **to trace = to follow** : *suivre ;* pour un détective, un policier : **to shadow** : *filer.*
9. **to put somebody off** : *essayer de détourner quelqu'un de son but.*
10. **do you ?** : traduction de *n'est-ce pas ?* Lorsque la phrase à laquelle il s'ajoute est affirmative le "tag" est négatif ; mais ici la reprise est affirmative parce que aucune réponse n'est attendue. Ce n'est pas une question. Cette forme insiste seulement sur la colère du visiteur.
11. **meddler** : de **to meddle** : *s'occuper de ce qui ne vous regarde pas.*

"Holmes the busybody [1] !"

His smile broadened.

"Holmes the Scotland Yard [2] Jack-in-office [3]."

Holmes chuckled [4] heartily. "Your conversation is most entertaining [5], said he. "When you go out close the door, for there is a decided draught."

"I will go when I have had my say [6]. Don't you dare [7] to meddle with my affairs. I know that Miss Stoner has been here — I traced her ! I am a dangerous man to fall foul of [8]. See here." He stepped swiftly forward, seized the poker [9], and bent it into a curve with his huge brown hands.

"See that you keep yourself out of my grip," he snarled [10], and hurling the twisted poker into the fireplace, he strode out of the room.

"He seems a very amiable person," said Holmes, laughing. "I am not quite so bulky, but if he had remained I might have shown him that my grip was not much more feeble than his own."

As he spoke he picked up the steel poker, and with a sudden effort straightened it out again.

"Fancy [11] his having the insolence to confound me with the official detective force ! This incident gives zest to our investigation, however, and I only trust that our little friend will not suffer from her imprudence in allowing this brute to trace her.

---

1. **busybody :** meddler (note précédente).
2. **Scotland Yard :** grand quartier général à Londres de la Police métropolitaine.
3. **Jack-in-office :** personnage officiel qui se croit important et coupe les cheveux en quatre.
4. **to chuckle :** *rire tranquillement* et de façon amusée, *glousser.*
5. **entertaining :** *qui amuse et intéresse ;* Δ **to entertain friends :** *recevoir des amis.*
6. **I have said my say :** say nom qui ne s'emploie que dans les expressions : **to have/say one's say :** *dire ce que l'on a à dire ;* et : **to have no say in the matter :** *ne pas avoir voix au chapitre.*
7. **don't you dare (dared, dared) :** la forme **durst** est archaïque ; v. semi-défectif (comme **need :** *avoir besoin de*) qui se conjugue comme un défectif aux formes interroga-

« Holmes, la mouche du coche ! »

Son sourire s'élargit.

« Holmes le coupeur de cheveux en quatre de Scotland Yard. »

Holmes partit d'un éclat de rire amusé. « Votre conversation est fort intéressante, » dit-il. « Lorsque vous sortirez fermez la porte, car je sens un incontestable courant d'air. »

« Je partirai lorsque j'aurai dit ce que j'ai sur le cœur. Et surtout n'essayez pas de mettre votre nez dans mes affaires. Je sais que Mademoiselle Stoner est venue ici. Je l'ai suivie ! Je suis un homme dangereux lorsqu'on me provoque ! Voyez plutôt. » Il fit rapidement un pas en avant, s'empara du tisonnier et le tordit dans ses énormes mains brunes.

« Faites bien attention de ne pas me tomber sous la patte, » lança-t-il d'un ton hargneux, et, jetant de toutes ses forces le tisonnier tordu dans l'âtre, il quitta la pièce à grandes enjambées.

« Voilà semble-t-il une bien aimable personne, » dit Holmes en riant. « Je ne suis pas aussi corpulent que lui, mais s'il était resté, j'aurais pu lui montrer que j'ai tout autant de poigne. »

Sur ce, il ramassa le tisonnier d'acier, et, d'un brusque effort, le redressa.

« Figurez-vous qu'il a eu l'insolence de me prendre pour un membre de la police officielle ! Toutefois cet incident donne un certain piquant à notre enquête ; j'espère seulement que notre jeune amie, en se laissant suivre jusqu'ici par cette brute, n'aura pas à pâlir de son imprudence.

---

tive et négative du prés. et du prétérit ; aux autres modes (impératif) et dans un style soutenu on l'emploie comme un verbe ordinaire (auxiliaire **do** et inf. complet) ; forme d'insistance de l'impératif 2e pers. négatif.

8. **to fall foul of somebody** : *se heurter à, se mettre qqn à dos.*

9. **poker** : *tisonnier,* de **to poke the fire** : *attiser le feu.*

10. **to snarl** : *montrer les dents et gronder* (comme un chien).

11. **fancy** : imp., 2e pers. sing., *imaginez-vous !* style exclamatif ; se construit avec le nom verbal.

And now, Watson, we shall order breakfast, and afterwards I shall walk down to Doctors' Commons[1], where I hope to get some data[2] which may help us in this matter."

It was nearly one o'clock when Sherlock Holmes returned from his excursion. He held in his hand a sheet of blue paper, scrawled[3] over with notes and figures.

"I have seen the will[4] of the deceased wife," said he. "To determine its exact meaning I have been obliged to work out the present prices of the investments with which it is concerned. The total income, which at the time of the wife's death was little short of £ 1,100, is now through[5] the fall in agricultural prices not more than £ 750. Each daughter can claim[6] an income of £ 250, in case of marriage. It is evident, therefore, that if both girls had married, this beauty[7] would have had a mere pittance[8], while even one of them would cripple him[9] to a serious extent. My morning's work[10] has not been wasted, since it has proved that he has the very strongest motives for standing in the way[11] of anything of the sort. And now, Watson, this is too serious for dawdling[12], especially as the old man is aware[13] that we are interesting ourselves in his affairs, so if you are ready we shall call a cab and drive to Waterloo. I should be very much obliged if you would slip[14] your revolver into your pocket.

---

1. **Doctors' Commons :** service administratif transféré en 1867 à **Somerset House** où l'on conserve les testaments ou leur copie.

2. **data** ['deitə] : (plur. du latin datum), *faits, données, informations ;* **data processing :** *traitement de l'information* sur ordinateur.

3. **to scrawl :** *écrire rapidement* et de manière presque illisible.

4. **will :** nom, *testament, dernières volontés.*

5. **through :** prép., *à cause de, par suite de, par la faute de.*

6. **to claim :** (terme juridique), *exiger la reconnaissance* d'un droit établi à l'avance.

7. **this beauty :** note d'ironie.

Et maintenant, Watson, nous allons demander notre petit déjeuner, après quoi j'irai me promener jusqu'au "Bureau des Testaments", où j'espère bien obtenir certains renseignements qui pourront nous être de quelque utilité en la matière. »

Il était près d'une heure de l'après-midi quand Holmes revint de son expédition. Il tenait à la main une feuille de papier bleu où il avait griffonné notes et chiffres.

« J'ai consulté le testament de son épouse défunte, » dit-il. « Pour établir de manière exacte ce qu'il représente, j'ai dû calculer la valeur actuelle des investissements qui s'y rapportent. Le revenu total qui, au moment de la mort de sa femme, atteignait presque 1 100 livres, n'est plus maintenant, à cause de la chute des prix agricoles, que de 750. Chacune des filles est en droit de revendiquer une rente de 250 livres au cas où elle se marierait. Il est donc évident que si les deux s'étaient mariées, notre agréable « gentleman » aurait dû se contenter d'un bien maigre revenu, et même si une seule « convolait », cela réduirait sérieusement son train de vie. Je n'ai donc pas perdu ma matinée, puisque j'ai maintenant la preuve qu'il a les raisons les plus péremptoires pour s'opposer à tout projet de ce genre. Et maintenant, Watson, c'est une affaire trop grave pour que nous perdions du temps, d'autant plus que le vieux bonhomme sait que nous nous occupons de ses affaires ; par conséquent, si vous êtes prêt, nous allons appeler un fiacre et nous faire conduire à la gare de Waterloo. Je vous serais reconnaissant de bien vouloir glisser votre revolver dans votre poche.

---

8. **pittance :** le mot anglais n'a aucune connotation alimentaire (= *revenu*).

9. **to cripple somebody :** *rendre qqn infirme ;* ici l'infirmité serait d'ordre financier ; **a crippled soldier :** *un invalide de guerre.*

10. **my morning's work :** le cas possessif peut être employé pour exprimer une durée ; « *mon travail du matin* ».

11. **stand in the way :** « *se tenir dans le chemin* », *s'opposer.*

12. **to dawdle :** *flâner, traînasser.*

13. **to be aware of = to know :** *être au courant de, informé de.*

14. **if you would slip :** cet auxiliaire marque le consentement : « *si vous acceptiez de* ».

An Eley's No. 2[1] is an excellent argument with gentlemen who can twist steel pokers into knots. That and a toothbrush are, I think, all that we need."

At Waterloo we were fortunate in[2] catching a train for Leatherhead, where we hired a trap[3] at the station inn, and drove for four or five miles through the lovely Surrey lanes. It was a perfect day[4], with a bright sun and a few fleecy[5] clouds in the heavens. The trees and wayside hedges were just throwing out their first green shoots, and the air was full of the pleasant smell of the moist earth. To me at least there was a strange contrast between the sweet promise of the spring and this sinister quest[6] upon which we were engaged. My companion sat in front of the trap, his arms folded, his hat pulled down over his eyes, ans his chin sunk upon his breast, buried in the deepest thought. Suddenly, however, he started, tapped me on the shoulder, and pointed over the meadows.

"Look there !" said he.

A heavily timbered[7] park stretched up in a gentle slope, thickening into a grove[8] at the highest point. From amidst the branches there jutted out[9] the grey gables[10] and high roof-tree[11] of a very old mansion[12].

"Stoke Moran ?" said he.

"Yes, sir that be[13] the house of Dr Grimesby Roylott," remarked the driver.

"There is some building[14] going on there," said Holmes ; "that is where we are going."

---

1. **an Eley's No.2 :** type particulier de revolver.
2. **to be fortunate in :** + gérondif : to be lucky enough to, *avoir la chance de.*
3. **trap :** voiture que C. Doyle appelle aussi **dog-cart.** Cf. page 16, note 4.
4. m. à m. : *c'était un jour parfait.*
5. **fleecy :** de fleece : *la toison du mouton* (image poétique).
6. **quest :** (litt.) *une recherche, une enquête.*
7. **heavily timbered :** de **timber** : *bois d'œuvre* ou *les arbres* fournissant ce genre de bois ; « *des arbres poussant de façon très dense* ».
8. **grove :** *groupe d'arbres, petit bois.*

Un Eley n° 2 est un argument de poids dans une discussion avec un individu capable de faire un nœud avec un tisonnier d'acier. Ça et une brosse à dents, c'est, à mon avis, tout ce qu'il nous faut. »

A Waterloo nous eûmes la chance d'attraper de justesse un train pour Leatherhead ; là, nous louâmes un cabriolet à l'auberge de la gare avec lequel nous parcourûmes sept à huit kilomètres, le long des jolies petites routes du Surrey. Il faisait un temps magnifique, un soleil éclatant brillait dans un ciel parsemé de quelques nuages floconneux. Les premières pousses vertes éclataient sur les arbres et les haies qui bordaient la route, et l'air était rempli de la bonne odeur de la terre humide. Il y avait, à mes yeux tout au moins, un étrange contraste entre la douce promesse du printemps et la sinistre poursuite que nous avions entreprise. Mon ami était assis sur le siège avant du cabriolet, les bras croisés, le chapeau rabattu sur les yeux, le menton enfoui dans la poitrine, comme quelqu'un perdu dans les plus profondes pensées. Soudain toutefois, il sursauta, me tapa sur l'épaule et me montra quelque chose par-delà les prairies.

« Regardez donc ! » dit-il.

Un parc planté d'arbres serrés s'étendait sur une pente douce et se terminait sur la crête par un épais boqueteau. Des ramures, émergeaient les pignons gris et le haut faîtage d'un très vieux manoir.

« Stoke Moran ? » dit-il.

« Oui, monsieur, c'est ben la demeure du Dr Grimesby Roylott », fit observer notre cocher.

« Des travaux de restauration y sont en cours », dit Holmes ; « c'est bien là que nous allons. »

---

9. **to jut out :** *dépasser de, faire saillie.*
10. **gable** ['geibəl] : couronnement triangulaire d'un mur qui supporte l'extrémité du faîtage d'un toit : *le pignon.*
11. **roof-tree :** *l'arbre (poutre) qui constitue l'arête supérieure du toit.*
12. **mansion :** *grande demeure* imposante ; en ville, *hôtel particulier,* à la campagne, *château, manoir.* **The Mansion House**, à Londres, résidence du **Lord Mayor.**
13. **that be = that is :** langue paysanne incorrecte parlée par le cocher.
14. **building :** gérondif de **to build**, sujet du verbe **going on = people are building sth here :** *on construit qqch ici.*

"There's the village," said the driver, pointing to a cluster of roofs some distance to the left ; "but if you want to get to the house, you'll find it shorter to go over this stile [1], and so by the footpath over the fields. There it is, where the lady is walking."

"And the lady, I fancy, is Miss Stoner," observed Holmes, shading his eyes [2]. "Yes, I think we had better [3] do as you suggest."

We got off, paid our fare [4], and the trap rattled [5] back on its way to Leatherhead.

"I thought it as well", said Holmes, as we climbed the stile, "that this fellow should think we had come here as architects, or on some definite business. It may stop his gossip [6]. Good afternoon, Miss Stoner. You see that we have been as good as our word [7]."

Our client of the morning had hurried forward to meet us with a face which spoke her joy. "I have been waiting so eagerly for you," she cried, shaking hands with us warmly. "All has turned out splendidly. Dr Roylott has gone to town, and it is unlikely that he will be back before evening."

"We have had the pleasure of making the Doctor's acquaintance," said Holmes, and in a few words [8] he sketched out what had occurred. Miss Stoner turned white to the lips [9] as she listened.

"Good heavens !" she cried, "he has followed me, then."

"So it appears."

---

1. **stile** : sorte d'échelle double, de bois ou de métal, servant à franchir une haie sans avoir à ouvrir la barrière.
2. **shading his eyes** : pour se protéger du soleil aveuglant.
3. **we had better do** : *nous ferions mieux de ;* expression défective qui n'existe qu'au prétérit à sens de conditionnel prés. ; on l'emploie généralement sous la forme contractée ; **we'd better do** ; le comparatif **better** entraîne la construction avec **than** : **I'd better work than play** : *je ferais mieux de travailler que de m'amuser.*
4. **fare** : *argent dû* pour un voyage par bus, bateau, train, taxi, etc.
5. **to rattle** : *émettre une série de bruits secs,* souvent métalliques, par ex. le cliquetis d'une machine à écrire, le bruit d'une vieille voiture sur des pavés ; **a rattle**, *une crécelle ;* **a rattle-snake**, *un serpent à sonnettes.*

« Voici le village », dit le cocher, montrant du doigt un groupe de toits à quelque distance sur la gauche ; « mais si vous voulez vous rendre au château, ce sera plus court de franchir cet échalier et d'emprunter ce sentier à travers champs, tenez, celui où se promène la dame, là-bas. »

« Et la dame, je suppose, est Miss Stoner, » fit remarquer Holmes, se protégeant les yeux de la main. « Oui, je pense que nous ferions mieux de suivre votre conseil. »

Nous descendîmes de voiture, réglâmes le cocher, et le cabriolet repartit en bringuebalant vers Leatherhead.

« J'ai pensé qu'il valait mieux, » dit Holmes, alors que nous escaladions l'échalier, que ce bonhomme croie que nous sommes des architectes, venus ici dans quelque but pratique bien déterminé. Cela l'empêchera peut-être de faire des commérages. Bonjour Miss Stoner. Vous voyez que nous avons tenu parole. »

Notre cliente de la matinée s'était précipitée à notre rencontre et une grande joie se lisait sur son visage. « Je vous attendais avec tant d'impatience, » s'écria-t-elle, en nous serrant la main avec cordialité. « Tout s'est arrangé merveilleusement. Le Dr Roylott est parti pour Londres et il est peu probable qu'il revienne avant ce soir. »

« Nous avons eu le plaisir de faire la connaissance du docteur, » dit Holmes, et brièvement il fit le récit de ce qui s'était passé à Miss Stoner, qui, en l'écoutant, blêmit de peur.

« Mon Dieu ! » s'écria-t-elle, « il m'a donc suivie. »

« Il semble que oui. »

---

6. **gossip.** (n.) : *propos malveillant* sur la conduite des autres ; **to gossip** : *commérer, cancaner* ; **a gossip** : *une commère*.

7. **we have been as good as our word** : « *nous avons été aussi bons (fidèles) que notre parole* ».

8. **a few words** : 1) **a few** : adj. indéfini (devant un pluriel) pour les quantités indéfinies ; **bring me a few apples** : *apporte-moi quelques pommes*. 2) △ **few** : adj. indéfini employé devant un plur. pour insister sur un très petit nombre de choses ou de personnes ; **few visitors**, *peu de visiteurs, de rares visiteurs*.

9. **turned white to the lips** : « *devint blanche jusqu'aux lèvres* ».

"He is so cunning that I never know when I am safe from him. What will he say when he returns ?"

"He must guard himself[1], for he may find that there is someone more cunning than himself upon his track[2]. You must lock yourself from him tonight. If he is violent, we shall take you away to your aunt's[3] at Harrow. Now, we must make the best use of our time, so kindly take us[4] at once to the rooms which we are to examine."

The building was of grey, lichen-blotched[5] stone, with a high central portion, and two curving wings, like the claws[6] of a crab, thrown out on each side. In one of these wings the windows were broken, and blocked with wooden[7] boards, while the roof was partly caved in[8], a picture of ruin[9]. The central portion was in little better repair[10], but the right-hand block was comparatively modern, and the blinds[11] in the windows, with the blue smoke curling up[12] from the chimneys, showed that this was where the family resided. Some scaffolding had been erected against the end wall, and the stonework had been broken into[13], but there were no signs of any workmen at the moment of our visit. Holmes walked slowly up and down the ill-trimmed lawn[14], and examined with deep attention the outsides of the windows.

---

1. **himself :** ce pronom réfléchi insiste sur le sujet « he ».

2. **upon his track :** « sur sa piste ».

3. **to your aunt's :** cas possessif incomplet employé lorsqu'on sous-entend : **house** (ici), **shop, church, school, hospital.**

4. **so kindly take us :** formule de politesse qui peut être exprimée aussi par : **will you be so kind as to take us.**

5. **lichen-blotched** ['laikən] : adj. composé (nom + p. passé) de **to blotch :** *tacher, maculer* (de lichen).

6. **claws :** 1) *griffes* du chat ; 2) *serres* d'un oiseau de proie ; 3) *pinces* de certains crustacés : homard, crabe...

7. **wooden :** adj., *en bois, de bois ;* de moins en moins employé en anglais moderne et remplacé par « **wood** » utilisé comme adj. : **a wood chair :** *une chaise en bois.*

8. **to cave in :** *s'effondrer, céder* sous l'effet d'une grande pression ; ▲ **a cave :** *un trou, une grotte ;* **the cave-men :** *les hommes des cavernes ;* **une cave** = **a cellar.**

9. **a picture of ruin :** devant un nom concret sing., placé

« Il est si rusé que je ne sais jamais à quoi me fier avec lui. Que va-t-il me dire lorsqu'il rentrera ? »

« Il lui faut prendre garde, car il pourrait s'apercevoir que quelqu'un encore plus rusé que lui est sur ses talons. Ce soir il faudra vous barricader contre lui. S'il se montre violent, nous vous emmènerons à Harrow chez votre tante. Et maintenant, il nous faut profiter au mieux de notre temps, aussi ayez l'obligeance de nous mener immédiatement dans les pièces que nous devons inspecter. »

Le bâtiment était en pierres grises tachées de lichen. Il se composait d'une partie centrale plus élevée, d'où partaient de chaque côté deux ailes incurvées comme les pinces d'un crabe. Dans l'une d'elles, les fenêtres, brisées, étaient obturées par des planches, tandis que le toit avait cédé par endroits. C'était une vraie ruine. La partie centrale n'était guère en meilleur état, mais l'aile droite était comparativement moderne ; les fenêtres pourvues de stores, et la fumée bleuâtre qui s'élevait en volutes des cheminées montraient que la famille y habitait. Au bout, un échafaudage se dressait contre le mur qui avait été percé, mais durant notre visite, nous n'y vîmes pas trace d'ouvrier. Holmes arpenta dans tous les sens la pelouse mal entretenue et examina l'extérieur des fenêtres avec une grande attention.

---

en apposition on emploie l'article indéfini qui ne se traduit pas en français ; « *image de ruine* ».

10. **in little better repair :** 1) a house in good/bad repair : *une maison en bon/mauvais état ;* 2) little, adv. semi-négatif = **hardly, scarcely :** « *une partie en guère meilleur état* ».

11. **the blinds :** au pluriel le plus souvent, dans ce sens de *rideaux, stores intérieurs* que l'on lève ou baisse verticalement ; ils remplacent les volets extérieurs.

12. **to curl up :** *monter en spirale ;* **up,** idée d'ascension ; curl : *spirale.*

13. **the stone-work had been broken into,** forme passive ; la forme active serait : **someone had broken into the stone-work ;** au passif la prép. **into** qui introduit le complément d'objet à la forme active, reste attachée au verbe comme postposition adverbiale.

14. **ill-trimmed lawn :** 1) **ill :** adv., *mal,* comparatif **worse,** superlatif **the worst ;** 2) **trimmed,** de **to trim,** dans ce monosyllabique la consonne finale « m » précédée d'une seule voyelle redouble lorsqu'on ajoute un suffixe au radical.

"This, I take it [1], belongs to the room in which you used to sleep, the centre one to your sister's, and the one next to the main building to Dr Roylott's chamber ?"

"Exactly so. But I am now sleeping in the middle one."

"Pending [2] the alterations, as I understand. By the way, there does not seem to be any very pressing need for repairs at that end wall."

"There were none [3]. I believe that it was an excuse to move me from my room."

"Ah ! that is suggestive [4]. Now, on the other side of this narrow wing runs the corridor from which these three rooms open. There are windows in it, of course ?"

"Yes, but very small ones. Too narrow for anyone to pass through."

"As you both [5] locked your doors [6] at night, your rooms were unapproachable from that side. Now, would you have the kindness to go into your room, and to bar your shutters."

Miss Stoner did so [7], and Holmes, after a careful examination through the open window, endeavoured in every way to force the shutter open, but without success [8]. There was no slit through which a knife could be passed to raise the bar. Then with his lens [9] he tested the hinges, but they were of solid iron, built firmly into the massive masonry [10].

---

1. **I take it** : I suppose, I conclude : *je suppose.*
2. **pending** : prép. = during : *pendant.*
3. **there where none** : none, pron. indéfini nég. reprenant un pluriel ; **there were no repairs carried out** : *on n'a fait aucune réparation.*
4. **suggestive** [sə'dʒestiv] : *qui fait, donne à, penser.*
5. **you both** : *toutes les deux* = both of you.
6. **your doors** : en anglais on considère la pluralité des objets se rapportant à plusieurs possesseurs, alors que le français ne voit que l'individualité et emploie le singulier ; « *votre porte* ».
7. **did so** : did : reprise au passé des deux verbes de la phrase précédente, « go » and « bar » ; so = thus, in this way : *ainsi,* « *elle fit ainsi* ».
8. **without success** : lorsque la préposition **without** introduit

60

« Cette fenêtre-ci, je suppose, est celle de la chambre où vous dormez d'ordinaire, au milieu celle de votre sœur, et, contiguë au bâtiment central, celle du Dr Roylott ? »

« C'est exact. Mais actuellement je dors dans la chambre du milieu. »

« Pour la durée de la restauration, si je comprends bien. Mais à propos, il ne semble pas que ce mur, là-bas, ait si grand besoin de réparations. »

« Aucune n'a été exécutée. Je crois que c'était une excuse pour me faire changer de chambre. »

« Ah ! Ah ! voilà qui donne à réfléchir. Et maintenant, de l'autre côté de cette aile étroite s'étend le couloir sur lequel donnent les trois pièces. Il est naturellement pourvu de fenêtres ? »

« Oui, mais très petites. Trop étroites pour que quiconque puisse s'y glisser. »

« Etant donné que votre sœur et vous-même fermiez toutes deux votre porte à clef la nuit, on ne pouvait donc pas pénétrer chez vous par le couloir. Maintenant, voudriez-vous avoir la gentillesse d'aller dans votre chambre et de fermer vos volets en y mettant les barres ? »

Miss Stoner s'exécuta et Holmes, après un examen minutieux par la fenêtre ouverte, essaya de mille manières d'ouvrir le volet, sans y parvenir. Il ne décela aucune fente par laquelle on eût pu passer une lame de couteau pour soulever la barre. Puis avec sa loupe, il scruta les gonds, mais ils étaient en fer résistant et solidement scellés dans une maçonnerie massive.

---

un nom concret sing., ce nom est précédé de l'article indéfini : **she went out without an umbrella** : *elle est sortie sans parapluie ;* mais lorsqu'il s'agit d'un nom abstrait ou d'un nom pluriel, l'article indéfini ne s'emploie pas : **he reads without glasses** : *il lit sans lunettes.*
9. **a lens** : [lenz], plur. **lenses** ['lenziz] : 1) *une lentille* (optique) ; 2) *une loupe ;* 3) *le cristallin.*
10. **solid iron... massive masonry :** ces adj. ont des sens équivalents.

"Hum !" said he, scratching his chin in some perplexity, "my theory certainly presents some difficulties. No one could pass these shutters if they were bolted. Well, we shall see if the inside throws any light upon the matter."

A small side-door led into the whitewashed [1] corridor from which the three bedrooms opened. Holmes refused to examine the third chamber, so we passed at once to the second, that in which [2] Miss Stoner was now sleeping, and in which her sister had met [3] her fate. It was a homely [4] little room, with a low ceiling and a gaping fireplace [5], after the fashion [6] of old country houses. A brown chest of drawers [7] stood in one corner, a narrow whitecounter-paned [8] bed in another, and a dressing-table on the left-hand side of the window. These articles, with two small wickerwork [9] chairs, made up [10] all the furniture in the room, save for a square of Wilton carpet [11] in the centre. The boards [12] round and the panelling [13] of the walls were brown, worm-eaten oak, so old and discoloured that it may have dated from the original building of the house. Holmes drew one of the chairs into a corner and sat silent, while his eyes travelled round and round and up and down, taking in [14] every detail of the apartment.

"Where does that bell communicate with ?" he asked at last, pointing to a thick bell-rope which hung down beside the bed, the tassel actually lying upon the pillow.

---

1. **whitewashed :** adj. composé (adj. + part. passé) de **whitewash :** *le blanc de chaux* utilisé pour le blanchiment des murs ; donne ici une idée de la pauvreté relative.
2. **that in which :** that, pron. démonstratif ; *celle* (la chambre) *où...*
3. **met with :** le verbe to meet, met, met : *rencontrer :* s'emploie avec la prép. **with** lorsqu'il s'agit de difficultés, d'événements fâcheux : **yesterday he met with an accident :** *hier il a eu un accident.*
4. **homely :** *simple, sans luxe.*
5. **gaping fireplace = wide fireplace :** « *cheminée béante* ».
6. **after the fashion :** « *selon la manière* ».
7. **chest of drawers :** « *coffre à tiroirs* » = *une commode.*

« Hum ! » fit-il, se grattant le menton pour marquer sa perplexité, « je me heurte à certaines difficultés dans mes hypothèses. Personne n'a pu passer par la fenêtre si les volets étaient assujettis. Ma foi, nous allons voir si l'intérieur peut nous éclairer davantage. »

Une petite porte latérale donnait dans le couloir, blanchi à la chaux, où s'ouvraient les portes des trois chambres. Holmes ne voulut pas inspecter la troisième, nous entrâmes donc directement dans la seconde, celle où Miss Stoner dormait à l'heure actuelle, et où sa sœur avait trouvé une mort tragique. C'était une petite pièce d'une grande simplicité, au plafond bas, avec une cheminée à vaste foyer, comme on en rencontre communément dans les vieilles maisons de campagne. Dans un coin, une commode brune, dans un autre coin un lit étroit recouvert d'une courtepointe blanche, et à gauche de la fenêtre, une coiffeuse. Ces meubles, ainsi que deux petites chaises d'osier et un tapis carré de Wilton au centre, composaient tout le mobilier de la pièce. Les boiseries et les lambris sur les murs étaient en chêne foncé vermoulu, si vieux et si décolorés qu'ils paraissaient remonter à la construction du château. Holmes tira l'une des chaises dans un coin, et y resta assis sans mot dire, tandis que, du regard, il parcourait la pièce dans tous les sens, ne laissant échapper aucun détail.

« Avec quoi communique cette sonnette ? » demanda-t-il finalement, montrant du doigt un épais cordon de sonnette qui pendait à côté du lit, et dont le gland reposait à même l'oreiller.

---

8. **white-counterpane :** adj. composé (adj. + faux part. passé) = **with a white counterpane ; a counterpane** ou **bedspread :** *dessus de lit* (cf. *courtepointe*).
9. **wickerwork :** *travail de l'osier* (**wicker**), *vannerie*.
10. **to make up, to constitute, to compose :** *composer.*
11. **Wilton carpet :** *tapis* de qualité, fabriqués à Wilton, à la **Royal carpet factory** (1655).
12. **the boards :** « *les planches* ».
13. **the panelling :** *revêtement en panneaux de bois* sur les murs d'une pièce.
14. **to take in :** *embrasser du regard.*

"It goes to the housekeeper's room."

"It looks newer than the other things ?"

"Yes, it was only put there a couple of years ago."

"Your sister asked for it, I suppose ?

"No, I never heard of her using it [1]. We used always to [2] get what we wanted for ourselves."

"Indeed, it seemed unnecessary to put so nice a bell-pull [3] there. You will excuse me for a few minutes while I satisfy myself as to this floor." He threw himself down upon his face with his lens in his hand, and crawled swiftly backwards and forwards, examining minutely the cracks between the boards. Then he did the same with the woodwork [4] with which the chamber was panelled [5]. Finally he walked over to the bed and spent some time in staring at it, and in running his eye up and down the wall [6]. Finally he took the bell-rope in his hand and gave it a brisk tug [7].

"Why, it's a dummy [8], said he.

"Won't it ring [9] ?"

"No, it is not even attached to a wire. This is very interesting. You can see now that it is fastened to a hook just above where the little opening of the ventilator is."

"How very absurd ! I never noticed that before."

"Very strange !" muttered Holmes, pulling at the rope. "There are one or two very singular points about this room.

---

1. **her using it :** to use, *se servir de ;* **her** peut être interprété ici comme un adj. possessif ou un pron. personnel.
2. **we used to get :** ne pas confondre cette forme qui marque une habitude dans le passé, avec le verbe de la note précédente ; **used to** [ju:stə] se traduit par l'imparfait : **we used to go :** *nous allions,* ou, si l'on veut insister : *nous avions l'habitude, coutume d'aller.*
3. **a bell-pull** = a bell-rope : *un cordon de sonnette.*
4. **the woodwork :** la partie du mur recouverte de bois, *le lambris.*
5. **the woodwork with which the chamber was panelled,** en anglais contemporain, la construction normale serait : the woodwork the chamber was panelled with.
6. **running his eye up and down the wall :** « *laissant son regard monter et descendre le long du mur* ».

« Avec la chambre de la gouvernante. »

« Ce cordon a l'air plus récent que le reste du mobilier ? »

« Certes, on l'a installé il y a seulement deux ans environ. »

« C'est votre sœur qui l'a demandé, je suppose ? »

« Non, je ne l'ai jamais entendue dire qu'elle s'en soit servi. Nous avions l'habitude de nous débrouiller toujours seules. »

« Ma parole, installer un aussi joli cordon de sonnette à cet endroit semble avoir été bien peu nécessaire. Excusez-moi un instant mais je ne dois pas négliger d'examiner ce parquet. » Il se mit à plat ventre, loupe en main, rampant rapidement en avant et en arrière, inspectant avec minutie les joints entre les lames. Puis il fit de même pour le lambris. A la fin il alla jusqu'au lit et y resta quelque temps, le regardant fixement et inspectant le mur de haut en bas. Enfin il saisit le cordon de sonnette et le tira vivement.

« Ma parole, mais c'est un cordon factice, » s'écria-t-il.

« Il ne marche donc pas ? »

« Non, il n'est même pas rattaché à un fil métallique. Voici qui est très intéressant. Vous pouvez maintenant constater qu'il est fixé à un crochet juste au-dessus de l'emplacement de la petite ouverture de la bouche d'aération. »

« Que c'est bête de ma part ! Je n'avais jamais remarqué ce détail auparavant. »

« Vraiment bizarre ! » murmura Holmes, tirant sur le cordon. Cette chambre présente une ou deux particularités fort troublantes.

---

7. **a tug, a sudden hard pull :** *une traction forte et brusque ;* **a tug (boat),** *un remorqueur ;* **a tug-of-war,** *jeu de lutte à la corde.*

8. **a dummy :** un objet fait pour ressembler à un objet réel, ex. : **a dummy gun,** *un canon factice* (en bois peint) ;
△ **a dummy,** *un mannequin* (dans une vitrine), *le mort* (au bridge).

9. **won't it ring ? :** fausse interrogation, exprime la déduction logique découlant de la constatation précédente (**it's a dummy**).

For example, what a fool a builder[1] must be to open a ventilator in another room, when, with the same trouble[2], he might have communicated with the outside air !"

"That is also quite modern," said the lady.

"Done about the same time as the bell-rope ?" remarked[3] Holmes.

"Yes, there were several little changes carried out[4] about that time."

"They seem to have been of a most interesting character[5]-dummy bell-ropes, and ventilators which do not ventilate. With your permission, Miss Stoner, we shall now carry our researches into the inner[6] apartment[7]."

Dr Grimesby Roylott's chamber[8] was larger than that of his stepdaughter, but was as plainly furnished[9]. A camp bed, a small wooden shelf full of books, mostly[10] of a technical character, an armchair beside the bed, a plain wooden chair against the wall, a round table, and a large iron safe were the principal things which met the eye. Holmes walked slowly round and examined each and all of them with the keenest interest.

"What's in here ?" he asked, tapping the safe.

"My stepfather's business papers."

"Oh ! you have seen inside then ?"

"Only once, some years ago. I remember that it was full of papers."

---

1. **what a fool a builder...** : construction de l'exclamation portant sur un nom concret singulier ; si l'on employait l'adj. **foolish**, nous aurions : **how foolish a builder...**

2. **trouble** : dans le sens de **care** *(soin)*, **work** *(travail)*, **inconvenience** *(dérangement)* ; ce mot abstrait indénombrable s'emploie au sing. ; exception : **money, family troubles**, *soucis d'argent, ennuis de famille.*

3. **to remark** : ce verbe s'emploie dans le sens de "**to say**" lorsqu'il n'exprime pas une réponse : "**I can't go**", he **remarked**, « *je ne peux pas y aller* », *fit-il.*

4. **carried out** = **completed, executed** : *exécutés ;* s'emploie surtout lorsqu'il s'agit d'un projet, d'une expérience, de réparations.

5. **a most interesting character** : **most**, superlatif absolu = **very**, *très, vraiment.*

Par exemple, un entrepreneur doit être bien stupide pour ouvrir une bouche d'aération sur une autre chambre, alors que sans se donner plus de mal, il aurait pu la percer sur l'extérieur ! »

« Ceci aussi est très récent, » dit la jeune femme.

« Environ de la même époque que le cordon, n'est-ce pas ? » fit observer Holmes.

« Oui, un certain nombre de petites modifications ont été apportées à peu près à cette date. »

« Et vraiment d'un type très intéressant — faux cordons de sonnette, bouches d'aération qui n'aèrent point. Si vous le permettez, Miss Stoner, nous allons maintenant poursuivre nos recherches dans la pièce à côté. »

La chambre à coucher du Dr Grimesby Roylott était plus vaste que celle de sa belle-fille, mais son mobilier était tout aussi rudimentaire. Un lit de camp, une petite étagère garnie de livres, se rapportant principalement à sa profession, un fauteuil à côté du lit, une chaise ordinaire en bois contre le mur, une table ronde et un gros coffre-fort métallique composaient tout le mobilier exposé à notre vue. Holmes en fit lentement le tour et examina tous ces meubles un par un, avec un grand intérêt.

« Que contient ceci ? » dit-il en tapotant le coffre.

« Les papiers d'affaire de mon beau-père. »

« Vous en avez donc vu l'intérieur ? »

« Une fois seulement, il y a des années. Je me souviens qu'il était plein de documents. »

---

6. **inner :** la chambre du docteur était la plus « *intérieure* » i.e. la plus proche du corps central du château, dans l'aile habitée.

7. **apartment,** en anglais : *une pièce ;* en américain : *un appartement ; un appartement,* en anglais = **a flat ; a block of flats :** *un immeuble résidentiel.*

8. **chamber,** mot archaïque = *chambre à coucher.*

9. **plainly ▲ furnished :** « *meublée très simplement » ; fournir (qqch à qqn) :* **to provide, to supply (somebody with something).**

10. **mostly** = principally : *surtout.*

"There isn't a cat in it, for example ?"

"No. What a strange idea !"

"Well, look at this !" He took up a small saucer of milk which stood on the top of it.

"No ; we don't keep a cat. But there is a cheetah [1] and a baboon [2]."

"Ah, yes, of course ! Well, a cheetah is just a big cat, and yet a saucer of milk does not go very far in satisfying [3] its wants, I daresay [4]. There is one [5] point which I should wish to determine." He squatted [6] down in front of the wooden chair, and examined the seat [7] of it with the greatest attention.

"Thank you. That is quite settled," said he, rising and putting his lens in his pocket. "Hello ! here is something interesting !"

The object which had caught his eye was a small dog lash [8] hung [9] on one corner of the bed. The lash, however, was curled upon itself, and tied so as to make a loop of whipcord [10].

"What do you make of that, Watson ?"

"It's a common enough lash. But I don't know why it should be tied [11]."

"That is not quite so common, is it ? Ah, me ! it's a wicked [12] world, and when a clever man turns his brain [13] to crime it is the worst of all. I think that I have seen enough now, Miss Stoner, and, with your permission, we shall walk out upon the lawn."

---

1. **cheetah** ['tʃiːtə] : *guépard,* mammifère carnivore, proche de la panthère.
2. **baboon** [bəˈbuːn] : *babouin* (grand singe).
3. **a saucer of milk... satisfying :** « *une sous-tasse de lait ne va pas très loin pour satisfaire* ».
4. **I daresay :** « *j'ose dire* » = *sans doute, j'imagine ;* peut s'écrire : **I dare say ;** dare s'emploie dans sa forme défective et dans cette expression uniquement à la 1ere pers. du sing.
5. **one :** adj. indéfini, remplace l'article indéfini pour insister sur le caractère spécial du nom qui suit, « un point particulier ».
6. **to squat :** *s'asseoir sur ses talons,* les jambes repliées, *s'accroupir ;* d'où **a squatter,** *occupant d'un local vide.*
7. **the seat (of a chair) :** partie horizontale d'une chaise sur laquelle on s'asseoit.

« Il n'y enferme pas un chat, par exemple ? »

« Non, quelle idée bizarre ! »

« Ma foi, regardez un peu ceci ! » Il souleva une petite soucoupe pleine de lait qui était posée sur le dessus du coffre.

« Non, nous n'avons pas de chat. Mais le docteur a un guépard et un babouin. »

« Ah oui, c'est vrai ! Et ma foi, un guépard n'est qu'un gros chat après tout, pourtant j'imagine qu'une sous-tasse de lait ne doit guère suffire à le rassasier. Il y a un détail particulier que je tiens à vérifier. » Il s'accroupit devant la chaise de bois et en examina le siège avec une très grande attention.

« Merci. Voici qui règle la question, » dit-il en remettant sa loupe dans sa poche. « Ah ! tiens, voici quelque chose d'intéressant ! »

L'objet qui avait attiré son regard était une petite laisse de chien accrochée à l'un des montants du lit. La laisse, toutefois, était recourbée et attachée de manière à former un nœud coulant à son extrémité.

« Qu'est-ce que vous en pensez, Watson ? »

« C'est une laisse bien ordinaire, mais je ne comprends pas pourquoi son extrémité est en forme de nœud coulant. »

« Ce n'est pas très courant, en effet ! Mon Dieu ! que ce monde est pervers, et lorsqu'un homme doué met son intelligence au service du crime, c'est le pire de tout. Je pense que j'en ai assez vu pour le moment, Miss Stoner, et si vous n'y voyez pas d'inconvénient, nous allons faire un tour sur la pelouse. »

---

8. **lash** : désigne ordinairement *la lanière d'un fouet* ; *la laisse* d'un chien est plutôt **the leash** ou **lead** [li:d].

9. **hung** : *suspendue, accrochée* ; on attendrait plutôt **hanging**, comme dans les expressions **sitting** *(être assis)*, **lying** *(couché)*, **leaning** *(penché)*, etc. qui, en fait, sont des formes progressives actives.

10. **whipcord** : 1) sorte de cordelette, tressée pour former la lanière d'un fouet ; 2) tissu serré à côtes dont on fait les culottes de cheval.

11. **I don't know why it should be tied** : « *je ne comprends pas pourquoi elle devrait être attachée* ».

12. **wicked** ['wikid] : **very bad, evil** ; mot de sens très fort, remontant à la sorcellerie, *mauvais, malfaisant*.

13. **brain** : *le cerveau* ; au pluriel : **brains** : *les facultés intellectuelles,* ou *cervelle* (culin.).

I had never seen my friend's face so grim [1], or his brow so dark as it was when we turned from the scene of his investigation. We had walked several times up and down [2] the lawn, neither Miss Stoner nor [3] myself liking to break in upon [4] his thoughts before he roused [5] himself from his reverie [6].

"It is very essential, Miss Stoner," said he, "that you should absolutely follow [7] my advice [8] in every respect."

"I shall most certainly do so."

"The matter is too serious for any hesitation. Your life may depend upon your compliance."

"I assure you that I am in your hands."

"In the first place, both my friend and I must spend the night in your room."

Both Miss Stoner and I gazed at him in astonishment.

"Yes, it must be so. Let me explain. I believe that that is the village inn over there ?"

"Yes, that is the 'Crown'."

"Very good. Your windows would be visible from there ?"

"Certainly."

"You must confine [9] yourself in your room, on pretence of [10] a headache, when your stepfather comes back. Then when you hear him retire for the night, you must open the shutters of your window, undo the hasp [11], put your lamp there as a signal to us ;

---

1. **grim :** indique le manque d'enjouement, l'accablement, *sinistre, lugubre.*
2. **to walk up and down :** up and down ne marque pas ici un mouvement vers le haut ou le bas, *faire les cent pas.*
3. **neither... nor :** conj. de coordination négative, *ni... ni ;* forme négative de **either... or,** *soit... soit.*
4. **to break in upon :** break in marque l'interruption, **upon** introduit l'objet de cette intrusion.
5. **to rouse** [rauz], **roused, roused,** v. trans. = **to make someone or something rise** (rose, risen) : *faire se lever, faire naître,* et, ici, *faire sortir de.*
6. **reverie** ['revəri] : en général **reverie** est une méditation sur un sujet agréable, ce qui n'est pas le cas ici.
7. **it is essential... that you should... follow :** après les verbes ou expressions indiquant un ordre, une prière, etc, on emploie le subjonctif avec **should.**

Je n'avais jamais vu mon ami avec une mine aussi sinistre et un front aussi sombre que lorsque nous nous éloignâmes du lieu de ses recherches. Nous avions arpenté plusieurs fois la pelouse, sans oser, pas plus Miss Stoner que moi, interrompre le cours de ses pensées quand enfin il sortit de sa méditation.

« Il est absolument essentiel, Miss Stoner, » dit-il, « que vous suiviez mes instructions à la lettre. »

« Je vous le promets. »

« L'affaire est trop grave pour que vous hésitiez le moins du monde. Votre vie dépend de votre docilité. »

« Je vous assure que je m'en remets entièrement à vous. »

« D'abord mon ami et moi devrons tous deux passer la nuit dans votre chambre. »

Miss Stoner et moi le regardâmes, muets de surprise.

« Oui, nous devons agir ainsi. Je vais vous expliquer mon plan. Je crois que c'est l'auberge du village que l'on voit là-bas ? »

« Oui, c'est l'Auberge de la Couronne. »

« Parfait. Vos fenêtres doivent être visibles de là-bas. »

« Certainement. »

« Lorsque votre beau-père rentrera, enfermez-vous dans votre chambre, prétextant une migraine. Puis lorsque vous l'entendrez se retirer pour la nuit, vous devrez ouvrir les volets de votre fenêtre, faire jouer l'espagnolette et poser là votre lampe qui sera un signal pour nous ;

---

8. **advice** : un certain nombre d'idées abstraites s'expriment en anglais par des mots indénombrables, au singulier : **I've always been ready to follow his advice** : *j'ai toujours été disposé à suivre ses conseils,* le singulier français, *un conseil,* se rend par **a piece of advice,** les mots : **information** (*renseignements*), **progress** (*progrès*), **knowledge** (*connaissances*), **trouble** (*ennuis*), et **nonsense** (*bêtises*) sont du même type grammatical ; ⚠le v. correspondant à **advice,** s'écrit **to advise,** *conseiller.*

9. **to confine** (litt.) équivalent de **to shut up, keep in,** *enfermer, s'enfermer.*

10. **on pretence of** [pri'tens] : *sous prétexte de,* du v. ⚠ **to pretend,** *faire semblant de ; prétendre :* **to claim, to assert.**

11. **hasp** : fermeture métallique d'une porte, porte-fenêtre ou fenêtre.

and then withdraw with everything which you are likely to want into the room which you used to occupy. I have no doubt that, in spite of the repairs, you could manage there for one night[1]."

"Oh, yes, easily."

"The rest you will leave in our hands."

"But what will you do ?"

"We shall spend the night in your room, and we shall investigate the cause of this noise which has disturbed you."

"I believe, Mr Holmes, that you have already made up your mind[2], said Miss Stoner, laying[3] her hand upon my companion's sleeve[4].

"Perhaps I have."

"Then for pity's sake[5] tell me what was the cause of my sister's death."

"I should prefer to have clearer proofs before I speak."

"You can at least tell me whether my own thought is[6] correct, and if she died from some sudden fright."

"No, I do not think so. I think that there was probably some more tangible cause. And now, Miss Stoner, we must leave you, for if Dr Roylott returned and saw us, our journey would be in vain. Good-bye, and be brave, for if you will do[7] what I have told you, you may rest assured[8] that we shall soon drive away the dangers that threaten you."

Sherlock Holmes and I had no difficulty in[9] engaging a bedroom and sitting-room at the Crown Inn.

---

1. **one night,** une nuit seulement, car Holmes est sûr d'éclaircir le mystère cette nuit-là.
2. **made up your mind :** ce n'est pas ici le sens habituel de l'expression : *se décider, prendre une décision.*
3. **laying :** du v. transitif to **lay, laid, laid** : *poser, mettre.*
4. **sleeve :** « *manche* ».
5. **for pity's sake :** on emploie le cas possessif dans les expressions traditionnelles telles que : to **one's heart's content,** *à cœur joie ;* the **water's edge,** *le bord de l'eau ;* at **arm's length,** *à bout de bras,* etc.
6. **tell me whether my own thought is... :** whether exprime un choix entre deux possibilités opposées (complété par "**or not**", exprimé ou sous-entendu), *dites-moi si j'ai raison (ou*

puis, emportant tout ce dont vous pourriez avoir besoin, vous vous retirerez dans la chambre que vous occupiez auparavant, où, je suis sûr que malgré les travaux en cours, vous pourrez vous arranger pour une nuit. »

« Oh, oui, sans difficulté. »

« Pour le reste, laissez-nous faire. »

« Mais quelles sont vos intentions ? »

« Nous allons passer la nuit dans votre chambre, et rechercher la cause de ce bruit qui vous a bouleversée. »

« Je crois, Mr Holmes, que vous avez déjà votre idée là-dessus, » dit Miss Stoner, en posant la main sur le bras de mon compagnon.

« C'est possible. »

« Alors, de grâce, dites-moi ce qui a causé la mort de ma sœur. »

« Je préfère attendre d'avoir des preuves plus irréfutables. »

« Vous pouvez au moins me dire si mes suppositions sont exactes, et si sa mort a été provoquée par une grande peur subite. »

« Non, je ne le crois pas. Je pense que la cause en était probablement plus matérielle. Et maintenant, Miss Stoner, il faut que nous vous quittions, car si le Dr Roylott arrivait et nous voyait ici, nous serions venus en vain. Au revoir, soyez courageuse, et si vous voulez bien suivre mes instructions, vous pouvez être certaine que très bientôt nous aurons écarté les dangers qui vous menacent. »

Sherlock Holmes et moi n'eûmes aucune difficulté à prendre une chambre avec salon à l'auberge de la Couronne.

---

non) ; en anglais moderne on le remplace souvent par if.

7. **if you will do :** will ajoute une idée de consentement total = *si vous acceptez de faire.*

8. **rest assured :** en anglais plus simple on dirait : **be certain, be sure.**

9. **I had no difficulty in** + gérondif, se traduit en français : *je n'eus pas de difficulté à* + infinitif.

They were on the upper[1] floor, and from our window we could command[2] a view of the avenue[3] gate, and of the inhabited wing of Stoke Moran Manor House. At dusk we saw Dr Grimesby Roylott drive past[4], his huge form looming up[5] beside the little figure[6] of the lad[7] who drove him. The boy had some slight difficulty in undoing the heavy iron gates, and we heard the hoarse roar of the Doctor's voice, and saw the fury with which he shook his clenched fists at him[8].

The trap drove on[9], and a few minutes later we saw a sudden light spring up among the trees as the lamp was lit in one of the sitting-rooms.

"Do you know, Watson," said Holmes, as we sat together in the gathering[10] darkness, "I have really some scruples as to taking you[11] tonight. There is a distinct element of danger."

"Can I be of assistance ?"

"Your presence might[12] be invaluable."

"Then I shall certainly come."

"It is very kind of you."

"You speak of danger. You have evidently seen more in these rooms than was visible[13] to me."

"No, but I fancy that I may have deduced[14] a little more. I imagine that you saw all that I did."

---

1. **upper :** comparatif de **up** (cf. **in, inner**) : employé ici comme épithète pour indiquer un étage *au-dessus* du rez-de-chaussée.

2. **to command** [kə'mɑ:nd] **a view,** litt. = *avoir vue sur.*

3. **avenue :** *petite route, allée,* bordée d'arbres, menant à une riche maison de campagne.

4. **drive past,** to drive (drove, driven), *rouler en voiture,* **past :** *en passant devant ;* nous avons déjà souvent vu le même type d'expression ; ex. : **to break into a room,** *entrer dans une pièce par effraction ;* **to stride out,** *sortir à grandes enjambées ;* **to rattle back,** *s'en retourner en brinquebalant.*

5. **looming up :** *apparaissant de manière peu distincte,* par exemple en sortant du brouillard, et inspirant souvent un sentiment de crainte ou de malaise.

6. **figure,** cf. p. 15, note 10 "**her features and figure were those of**".

7. **lad :** *jeune homme ;* au féminin, dans le même esprit on emploie : "**lass**".

8. **he shook his fists at him :** **at,** prép. d'hostilité.

Ces pièces se trouvaient au premier étage, et de notre fenêtre nous pouvions apercevoir la grille ouvrant sur l'allée principale du château, et l'aile habitée du manoir de Stoke Moran. Au crépuscule nous vîmes le Dr Grimesby Roylott passer en voiture, son imposante masse dominant la frêle silhouette du jeune homme qui lui servait de cocher. Ce garçon éprouva quelque difficulté à ouvrir le lourd portail de fer, et nous entendîmes le docteur rugir d'une voix rauque en le menaçant furieusement de ses poings serrés.

Le cabriolet poursuivit sa route, et quelques minutes plus tard, une lumière brilla brusquement parmi les arbres : une lampe s'allumait dans l'un des salons.

« Dites, Watson, » fit Holmes tandis que nous attendions, assis dans l'obscurité croissante, « j'éprouve de réels scrupules à vous emmener avec moi cette nuit. Il y a là une possibilité très nette de danger. »

« Vous serai-je de quelque secours ? »

« Vous m'apporterez sans doute un concours inestimable. »

« Dans ce cas, rien ne m'empêchera de vous accompagner. »

« C'est très sympathique de votre part. »

« Mais pourquoi parler de danger ? Il est évident que vous avez vu plus de choses que moi dans ces chambres. »

« Non, mais je pense que j'en ai tiré davantage de déductions. J'imagine que vous y avez vu tout ce que j'ai remarqué moi-même. »

---

9. **drove on :** *continua* (on) *d'avancer* (drove).
10. **gathering,** adj., **coming gradually** : « *grandissante* ».
11. **as to taking you** = **with regard to** + gérondif : *pour ce qui est de...* ; il est normal d'employer cette expression après un nom **(scruples)** exprimant *le doute, les scrupules.*
12. **might :** éventualité, car Holmes n'est pas certain de ce qu'il avance.
13. **than was visible** = **than it was visible** : « *qu'il était visible à mes yeux* ».
14. **to deduce** [di'dju:s] : *déduire,* i.e. *conclure par raisonnement logique* ; ▲ **to deduct** [di'dʌkt] : *déduire, retrancher, défalquer d'un total.*

"I saw nothing remarkable save the bell-rope, and what purpose that could answer [1] I confess is more than I can imagine."

"You saw the ventilator, too ?"

"Yes, but I do not think that it is such a very unusual thing [2] to have a small opening between two rooms. It was so small a rat could hardly pass through."

I knew that we should find [3] a ventilator before ever [4] we came to Stoke Moran."

"My dear Holmes ! »

"Oh, yes, I did [5]. You remember in her statement she said that her sister could smell Dr Roylott's cigar. Now, of course that suggests at once that there must be a communication between the two rooms. It could only be a small one [6], or it would have been remarked upon [7] at the coroner's inquiry. I deduced a ventilator."

"But what harm can there be in that ?"

"Well, there is at least a curious coincidence of dates. A ventilator is made, a cord is hung [8], and a lady who sleeps in the bed dies. Does not that strike you ?"

"I cannot as yet [9] see any connection."

"Did you observe anything very peculiar about that bed ?"

"No."

---

1. **to answer a purpose** : *remplir un but, servir à un usage* ; « *à quel usage cela pouvait-il servir* ».
2. **it is such a very unusual thing** : « *c'est une chose tellement peu habituelle* » ; on pourrait dire aussi : **it is so very unusual a thing** ; ⚠ au pluriel on ne pourrait employer que l'expression avec **such** : **they are such very unusual things**.
3. **we should find** : conditionnel normal.
4. **before ever** : ever est employé ici comme forme d'insistance, « *avant même que* ».
5. **I did** : reprise du verbe "I knew".
6. **a small one** : one reprend "communication".
7. **it would have been remarked upon** : construction passive ; la forme active serait "one would have remarked upon it".

« Je n'ai rien vu de très spécial, si ce n'est le cordon de sonnette, dont l'utilité, je l'avoue, ne me paraît pas évidente. »

« Vous avez vu également la bouche d'aération ? »

« Oui, mais je ne crois pas que ce soit tellement extraordinaire de trouver une petite ouverture entre deux pièces. Elle est si petite qu'un rat aurait de la peine à s'y glisser. »

« Je savais que nous trouverions une bouche d'aération avant même de venir à Stoke Moran. »

« Mon cher Holmes ! »

« Mais si, mais si. Vous vous rappelez que dans son récit, la jeune femme a mentionné que sa sœur avait pu sentir l'odeur du cigare du Dr Roylott. Ceci, évidemment, laissait à penser qu'il devait y avoir une communication entre les deux chambres. Ce ne pouvait être qu'une ouverture très exiguë, sinon le coroner l'aurait remarquée au cours de l'enquête. J'en ai déduit l'existence de cette bouche d'aération. »

« Mais quel mal peut-il y avoir là ? »

« Ma foi, il y a au moins une curieuse coïncidence dans les dates. On ouvre une bouche d'aération, on accroche un cordon de sonnette, et la femme qui dort dans le lit meurt. Cela ne vous frappe-t-il pas ? »

« Pour le moment, je ne vois pas de rapport entre ces divers éléments. »

« N'avez-vous rien observé de très curieux quant à ce lit ? »

« Ma foi non. »

---

8. **a cord is hung :** part. passé du v. **to hang, hung, hung ;** *un cordon est accroché ;* lorsqu'il s'agit de la pendaison d'une personne, le v. **to hang** est régulier ; ex. : **the man was hanged at dawn,** *l'homme a été pendu à l'aube.*

9. **as yet** = **for the time being, for the moment,** *pour le moment ;* on emploie **yet** en général dans une phrase négative et **still,** dans une phrase affirmative : **he has not arrived yet,** *il n'est pas encore arrivé ;* **he's still at school,** *il est encore à l'école.*

"It was clamped [1] to the floor. Did you ever see a bed fastened like that before ?"

"I cannot say that I have."

"The lady could [2] not move her bed. It must always be in the same relative position to the ventilator and to the rope — for so we may call it, since it was clearly never meant [3] for a bell-pull."

"Holmes," I cried, "I seem to see dimly [4] what you are hinting at [5]. We are only just in time to prevent some subtle and horrible crime."

"Subtle enough [6] and horrible enough. When a doctor does go wrong [7] he is the first of criminals. He has nerve and he has knowledge. Palmer and Pritchard [8] were among the heads of their profession. This man strikes even deeper, but, I think, Watson, that we shall be able to strike deeper still. But we shall have horrors enough before the night is over : for goodness' sake let us have a quiet pipe, and turn our minds for a few hours to something more cheerful."

About nine o'clock the light among the trees was extinguished, and all was dark in the direction of the Manor House [9]. Two hours passed slowly away, and then, suddenly, just at the stroke of eleven [10], a single bright light shone out right in front of us [11].

"That is our signal," said Holmes, springing to his feet ; "it comes from the middle window".

---

1. **clamped** : *fixé par des attaches, des crampons* (**clamps**).
2. **could (not move)** : marque l'impossibilité physique, matérielle.
3. **it was... never meant,** to mean, meant, meant : 1) *signifier, vouloir dire,* 2) (ici), *être destiné à, fait pour* ; « *il ne fut jamais destiné à être utilisé comme cordon de sonnette* ».
4. **dimly,** adv. de **dim,** adj. : *vague, indistinct, incertain.*
5. **what you are hinting at,** la prép. at est rejetée après le verbe parce que généralement un pronom relatif ne peut être précédé d'une préposition ; cf. **a hint** : *une allusion.*
6. **subtle** ['sʌtl] **enough** : enough se place toujours après l'adj. mais avant ou après le nom. cf. 6 lignes plus bas "**horrors enough**" ou "**enough horrors**".
7. **does go wrong** : forme d'insistance d'un verbe ordinaire à la forme affirmative au présent, 3e pers. du sing. ; selon

« Il est fixé dans le plancher. Avez-vous jamais vu lit pareillement installé ? »

« Ma foi non, jamais. »

« La jeune femme ne pouvait pas déplacer son lit. Il devait toujours rester au même endroit par rapport à la bouche d'aération et au cordon de sonnette, tout au moins si nous appelons ainsi un cordon qu'on ne peut actionner. »

« Holmes, » m'écriai-je, « je commence à entrevoir vaguement ce que vous avez à l'esprit. Nous arrivons juste à temps pour empêcher qu'un crime subtil et horrible soit commis. »

« Bien subtil et bien horrible en effet. Quand un médecin tourne mal il devient le pire des criminels. Car il possède à la fois le sang-froid et les connaissances. Palmer et Pritchard étaient la fleur de leur profession. Cet homme, lui, va encore plus loin, mais je crois, Watson, que nous serons à même de frapper encore plus fort. Mais avant la fin de cette nuit nous allons voir bon nombre de choses horribles ; pour l'amour du ciel, fumons une pipe en paix et pendant quelques heures, essayons de penser à quelque sujet plus réjouissant. »

Vers neuf heures du soir, la lumière qui brillait entre les arbres s'éteignit, et le château resta plongé dans une obscurité totale. Deux heures s'écoulèrent lentement, puis tout à coup, alors que sonnaient onze heures, une brillante lumière solitaire jaillit juste devant nous.

« C'est le signal, » dit Holmes, bondissant sur ses pieds. « Il vient de la fenêtre du milieu. »

---

les personnes ou les temps on place l'auxiliaire : **do, does** ou **did** devant le verbe.
8. **Palmer and Pritchard :** deux médecins de grand renom qui furent exécutés pour avoir empoisonné, l'un, sa femme, son frère et un collègue, l'autre, sa femme et sa belle-mère, dans un but intéressé.
9. **the Manor House :** le château où vit le propriétaire du domaine seigneurial.
10. **at the stroke of eleven :** son émis par une horloge lorsqu'elle sonne l'heure : « *sur le coup de onze heures* ».
11. **right in front of us.** right = exactly : *exactement, juste, en plein* ; **right in the middle** : *en plein milieu, dans le mille.*

As we passed out he exchanged a few words with the landlord, explaining that we were going on a late visit [1] to an acquaintance, and that it was possible that we might spend the night there. A moment later we were out on the dark road, a chill wind blowing in our faces, and one yellow light twinkling in front of us through the gloom to guide us on our sombre errand [2].

There was little [3] difficulty in entering the grounds, for unrepaired breaches gaped [4] in the old park wall. Making our way among the trees, we reached the lawn, crossed it, and were about [5] to enter through the window, when out from a clump [6] of laurel bushes there darted [7] what seemed to be a hideous and distorted child, who threw itself [8] on the grass with writhing [9] limbs, and then ran swiftly across the lawn into [10] the darkness.

"My God !" I whispered, "did you see it ?"

Holmes was for the moment as startled as I. His hand closed like a vice [11] upon my wrist in his agitation. Then he broke into a low laugh [12], and put his lips to my ear.

"It is a nice household [13], he murmured, "that is the baboon."

I had forgotten the strange pets [14] which the doctor affected. There was a cheetah, too ; perhaps we might find it upon our shoulders at any moment.

---

1. **to go on a visit to** : to pay a visit to : *rendre visite à.*
2. **an errand** : *une commission, une course* ; **to go on, to run an errand** : *faire une course.*
3. **little** : s'emploie devant un nom singulier pour exprimer une quantité réduite ; devant un nom pluriel on emploie **few** ; **he has little money, and therefore few friends** : *il a peu d'argent et par conséquent peu d'amis (de rares amis).*
4. **gaped** : les brèches étaient très larges = **opened**.
5. **were about** : + l'infinitif ; futur imminent : être sur le point de ; on pourrait aussi dire : **were on the point of** + gérondif.
6. **a clump** : *un groupe, un buisson* ; lorsqu'il s'agit de grands arbres on emploie le mot **grove** : *un boqueteau.*
7. **to dart** : (de **a dart** : *une flèche*), *filer comme une flèche* ; cf. **to play darts** : *jouer aux fléchettes.*
8. **threw itself** : pronom réfléchi neutre se rapportant à un

En sortant nous échangeâmes quelques mots avec l'aubergiste, lui expliquant que nous devions rendre une visite tardive à un ami, et que peut-être nous passerions la nuit chez lui. Quelques minutes plus tard nous avancions sur la route obscure, un vent glacé nous soufflant au visage, et la lumière jaune scintillant devant nous à travers les ténèbres comme pour nous guider dans notre sinistre mission.

Nous n'eûmes aucune difficulté à pénétrer dans le parc, car le vieux mur de clôture était percé de larges brèches qui n'avaient pas été réparées. Nous frayant un chemin parmi les arbres, nous atteignîmes la pelouse, la traversâmes et étions sur le point d'entrer par la fenêtre, lorsque d'un massif de lauriers s'élança une créature ressemblant à quelque enfant hideux et difforme qui se jeta sur l'herbe en se tordant de tous ses membres, puis s'enfuit à travers la pelouse pour se perdre dans l'obscurité.

« Grand Dieu ! » murmurai-je, « avez-vous vu cela ? »

Holmes fut, sur le moment, aussi saisi que moi. Dans son trouble, il me serra le poignet de sa main refermée comme un étau. Puis il partit d'un rire étouffé et approcha ses lèvres de mon oreille.

« Quelle charmante maisonnée », murmura-t-il. « C'était le babouin. »

J'avais oublié les étranges animaux favoris du docteur. Il y avait aussi un guépard ; peut-être allions-nous le voir bondir sur nos épaules, d'une minute à l'autre.

---

animal sauvage (le babouin) ; pour les animaux domestiques (**pets,** cf. note 14), **dog** est généralement masculin, et **cat** féminin.

9. **writhing** ['raiðiŋ] : ces contorsions expriment le plus souvent la douleur, ce qui n'est pas le cas ici.

10. **into** : prép. de sens très fort = *pour pénétrer, se perdre, se fondre.*

11. **vise** [vais] : *un étau ;* s'écrit aussi **vice ; vise** serait plutôt U.S.

12. **to break into a laugh :** le verbe **break into** introduit une idée du début brutal d'une action : **to break into a song/a trot :** *se mettre à chanter/trotter.*

13. **household :** tous les gens vivant ensemble dans une maison ; ici le terme est humoristique, le babouin fait partie de *la maisonnée !*

14. **pets :** *animaux favoris* tels que chiens, chats, oiseaux, tortues, etc. C. Doyle qualifie à juste titre ceux du docteur (babouin et guépard) de l'adjectif « étranges ».

I confess that I felt easier in my mind when, after following Holmes's[1] example and slipping off my shoes, I found myself inside the bedroom. My companion noiselessly closed the shutters, moved the lamp on to[2] the table, and cast his eyes round the room. All was as we had seen it in the day-time. Then creeping up to me and making a trumpet of his hand, he whispered into my ear again so gently that it was all that I could do to distinguish the words :

"The least[3] sound would be fatal to our plans."

I nodded[4] to show that I had heard.

"We must sit without a light. He would see it through the ventilator."

I nodded again.

"Do not go to sleep ; your very life may depend upon it. Have your pistol ready[5] in case we should need it[6]. I will sit on the side of the bed, and you in that chair."

I took out my revolver and laid it on the corner of the table.

Holmes had brought up a long thin cane, and this he placed upon the bed beside him. By it[7] he laid the box of matches and the stump[8] of a candle. Then he turned down[9] the lamp and we were left in darkness.

How shall I ever forget that dreadful vigil[10] ? I could not hear a sound, not even the drawing of a breath, and yet I knew that my companion sat open-eyed, within[11] a few feet[12] of me, in the same state of nervous tension in which I was myself.

---

1. **Holmes's** ['həumziz] **example** : orthographe normale du cas possessif sing. lorsque le nom se termine en s ou ss ; ex. : **the mistress's pen**, *le stylo de la maîtresse.*

2. **onto** : prép. litt., *jusqu'à, vers* ; peut s'écrire, **on to.**

3. **the least** : superlatif irrégulier de **little** dont le comparatif est **less** : « *le plus petit, le moindre* ».

4. **to nod** : faire un signe avec la tête de haut en bas pour exprimer un accord.

5. **have your pistol ready** : « *ayez (tenez) votre pistolet prêt* ».

6. **in case we should need it** : **should,** subjonctif introduit par **in case,** qui marque l'éventualité.

7. **by it** : prép. = **near, beside** : *à côté de.*

Je dois avouer que je me sentis soulagé lorsque, suivant l'exemple de Holmes, après avoir ôté mes chaussures, je me trouvai dans la chambre à coucher. Mon camarade referma les volets sans faire de bruit, ramena la lampe de la fenêtre sur la table, et promena son regard tout autour de la pièce. Rien n'y avait changé depuis que nous l'avions visitée dans la journée. Puis se glissant jusqu'à moi et mettant sa main en cornet, à nouveau il murmura dans mon oreille, à voix si basse que je pouvais tout juste comprendre ce qu'il me dit :

« Le moindre bruit ruinerait tous nos plans. »

Je fis un signe de la tête pour lui montrer que j'avais compris.

« Il faut nous passer de lumière. Il la verrait par la bouche d'aération. »

Je fis à nouveau un signe de tête affirmatif.

« Ne vous endormez pas. C'est votre vie qui en dépend peut-être. Préparez votre pistolet au cas où nous en aurions besoin. Je vais m'asseoir sur le bord du lit et vous sur cette chaise. »

Je sortis mon revolver et le posai sur le coin de la table.

Holmes avait apporté une longue et fine badine qu'il plaça sur le lit tout près de lui. A côté, il posa la boîte d'allumettes et un bout de bougie. Puis il éteignit la lampe, et nous restâmes dans le noir.

Comment pourrai-je jamais oublier cette horrible veille ? On n'entendait pas le moindre bruit, pas même celui de nos respirations, et pourtant je savais que mon ami, à quelques pas de moi, les yeux grand ouverts, était dans le même état de tension nerveuse que moi.

---

8. **stump :** cf. page 36, note 3.
9. **turned down :** diminuer l'arrivée du gaz d'un fourneau, le volume sonore d'un poste de radio, ici baisser jusqu'à extinction la mèche d'une lampe à pétrole.
10. **vigil** ['vidʒil] : le temps passé la nuit à ne pas dormir pour se consacrer à quelque occupation : *veille.*
11. **within :** 1) prép., *à l'intérieur de, en moins de,* dans des expressions de distance ou de temps : within an hour : *en moins d'une heure ;* within ten miles, *à moins de 16 km.*
2) adv., *à l'intérieur* ≠ **without** : *à l'extérieur, dehors ;* ex. : "inquire within" : « *se renseigner à l'intérieur* » ; **he's waiting without** : *il attend dehors.*
12. **feet :** plur. irrég. de **foot** : *un pied,* mesure de longueur (30 cm).

The shutters cut off the least ray of light, and we waited in absolute darkness. From outside came the occasional cry of a nightbird, and once at our very window a long drawn, cat-like[1] whine, which told us that the cheetah was indeed at liberty. Far away we could hear the deep tones of the parish clock, which[2] boomed out[3] every quarter of an hour. How long they seemed, those quarters ! Twelve o'clock, and one, and two, and three, and still we sat waiting silently for whatever might[4] befall[5].

Suddenly there was the momentary gleam of a light up in the direction of the ventilator, which vanished immediately, but was succeeded by a strong smell of burning oil and heated metal.Someone in the next room had lit a dark lantern[6]. I heard a gentle sound of movement, and then all was silent once more, though the smell grew stronger. For half an hour I sat with straining ears. Then suddenly another sound became audible — a very gentle, soothing sound, like that of a small jet of steam escaping continually from a kettle[7]. The instant that we heard it[8], Holmes sprang from the bed, struck a match, and lashed[9] furiously with his cane at the bell-pull.

"You see it, Watson ?" he yelled[10]. "You see it ?"

But I saw nothing. At the moment when Holmes struck the light I heard a low, clear whistle, but the sudden glare[11] flashing into my weary eyes made it impossible for me to tell what it was at[12] which my friend lashed so savagely.

---

1. **catlike :** adj. composé : nom (**cat**) + suff. (like, exprimant la ressemblance) ; **childlike** : *enfantin ;* **hairlike** : *fin comme un cheveu.*
2. **which :** ce relatif précédé d'une virgule a pour antécédent le membre de phrase précédent.
3. **boomed out :** to **boom** représente le son grave des cloches, d'un orgue, ou du vent : *retentir, résonner ;* **out** exprime la propagation de ces sons.
4. **whatever might : might,** auxiliaire du subjonctif au passé ; s'emploie après **whatever** qui exprime l'éventualité.
5. **befall, befell, befallen** (litt.) = **happen, occur :** *arriver, se passer.*
6. **a dark lantern :** *une lanterne* dont la lumière peut être *obscurcie,* (**dark**) à volonté par des volets mobiles.
7. **kettle :** « *bouilloire* ».

84

Les volets arrêtaient le moindre rayon lumineux et nous restions là, à attendre dans une obscurité totale. Dehors, de temps à autre, un oiseau de nuit poussait son cri, et, à un certain moment, nous entendîmes, sous notre propre fenêtre, le gémissement prolongé d'un félin, ce qui nous rappela que le guépard errait effectivement en liberté. Dans le lointain on entendait la cloche de l'église paroissiale, qui, sur un ton grave, égrenait les quarts d'heure. Comme ils s'écoulaient lentement, ces quarts d'heure ! Minuit sonna, puis une heure, deux heures et trois heures du matin, et nous continuions d'attendre, dans le silence de la nuit, ce qui pouvait arriver à tout moment.

Soudain une lueur fugitive brilla là-haut du côté de la bouche d'aération et s'éteignit immédiatement, puis se répandit un fort relent d'huile brûlée et de métal chaud : quelqu'un dans la chambre voisine avait allumé une lanterne sourde. Je perçus un bruit léger de déplacement, puis tout retomba dans le silence ; l'odeur devenait de plus en plus forte. Je restai une demi-heure à tendre l'oreille. Puis tout à coup un son nouveau se fit entendre, très faible, très doux, comme si un petit jet de vapeur s'échappait sans arrêt du bec d'une bouilloire. Au moment même où nous l'entendîmes, Holmes se leva d'un bond, gratta une allumette, et avec sa badine fouetta violemment le cordon de sonnette.

« Vous le voyez, Watson ? » hurla-t-il. « Est-ce que vous le voyez ? »

Mais je ne voyais rien. Au moment où Holmes avait craqué l'allumette, j'avais entendu un sifflement distinct mais étouffé, mais la lueur brutale frappant mes yeux fatigués m'avait aveuglé et je n'avais pu distinguer ce que mon ami cinglait avec férocité.

---

8. **the instant that we heard it :** that, pron. relatif = **when** ; pourrait être sous-entendu : **the instant we heard it.**

9. **to lash :** *frapper violemment comme avec un fouet ;* cf. **the lash of a whip :** *la mèche d'un fouet.*

10. **to yell :** *hurler, pousser un cri* sauvage et aigu (de douleur, d'angoisse).

11. **the glare :** *lueur aveuglante.*

12. **at :** prép. d'hostilité. La construction moderne de la phrase serait : **what it was (which) my friend lashed so savagely at** (cf. p. 78 note 5).

I could, however, see that his face was deadly pale, and filled with horror and loathing.

He had ceased to strike, and was gazing up[1] at the ventilator, when suddenly there broke[2] from the silence of the night the most horrible cry to which[3] I have ever[4] listened. It swelled up louder and louder[5], a hoarse yell of pain and fear and anger all mingled in the one dreadful shriek. They say[6] that away down in the village, and even in the distant parsonage[7], that cry raised[8] the sleepers from their beds. It struck[9] cold to our hearts, and I stood gazing at Holmes, and he at me, until the last echoes[10] of it had died away into the silence from which it rose.

"What can it mean ?" I gasped.

"It means that it is all over," Holmes answered. "And perhaps, after all, it is for the best[11]. Take your pistol, and we shall enter Dr Roylott's room."

With a grave face he lit the lamp, and led the way down the corridor. Twice[12] he struck at the chamber door without any reply from within. Then he turned the handle and entered, I at his heels, with the cocked[13] pistol in my hand.

---

1. **gazing up :** marque un regard attentif et prolongé, ici, vers le haut.
2. **there broke :** cf. **there is, there are :** *il y a ;* d'autres verbes peuvent s'employer avec **there** dans des expressions du même type : « *s'éleva le cri* ».
3. **the cry to which :** en anglais moderne, la construction : « **the... cry I have ever listened to** », serait préférée.
4. **ever = always,** jamais dans le sens affirmatif, = *en un temps quelconque.*
5. **louder and louder :** exprime une idée de progression dans l'intensité ; les deux comparatifs d'un adj. court sont reliés par **and** ; pour les adj. longs au comparatif de supériorité ou d'infériorité, l'adj. n'est exprimé que la seconde fois : **more and more comfortable, less and less expensive :** *de plus en plus confortable, de moins en moins coûteux.*
6. **they say :** **they** traduit l'indéfini français « *on* », lorsqu'il s'agit d'un nombre indéterminé mais important de gens ; équivalent possible : **people say.**

Je voyais cependant que son visage était d'une mortelle pâleur, et exprimait horreur et dégoût.

Il avait cessé de frapper et fixait la bouche d'aération lorsque soudain le silence de la nuit fut déchiré par le cri le plus horrible que j'aie jamais entendu. Il s'enfla jusqu'à atteindre un hurlement rauque ; douleur, effroi et rage se mêlaient dans ce cri affreux. On a rapporté que là-bas, au village, et jusqu'au presbytère éloigné, ce cri jeta les gens endormis hors de leur lit. Il nous glaça le cœur, et je restai là, les yeux rivés sur Holmes et les siens sur moi, jusqu'à ce que les derniers échos de ce cri se fussent perdus dans le silence qu'il avait rompu.

« Qu'est-ce que cela signifie ? » dis-je en reprenant mon souffle.

« Cela signifie que tout est terminé, » répondit Holmes. « Et peut-être, après tout, vaut-il mieux qu'il en soit ainsi. Prenez votre pistolet, nous allons pénétrer dans la chambre du Dr Roylott. »

Son visage exprimait la gravité lorsqu'il alluma la lampe et me précéda dans le couloir. Il frappa par deux fois à la porte de la chambre sans obtenir aucune réponse. Alors il tourna la poignée et entra, avec moi, sur ses talons, pistolet armé à la main.

---

7. **parsonage :** *habitation d'un pasteur* (**parson**).
8. **to raise (raised, raised) :** transitif, *faire lever, lever, soulever.* △ to **rise, rose, risen,** intransitif, *se lever ;* to **rouse, roused, roused,** transitif, *éveiller, réveiller, exciter.*
9. **it struck cold to our hearts :** « *cela frappa notre cœur de froid* ».
10. **echoes** ['ekəuz] : plur. irrégulier d'un mot terminé par la lettre « o » précédée d'une consonne (**echo**) ; exceptions : **photo, photos ; piano, pianos** et certains mots d'origine étrangère : **ghetto, ghettos,** etc.
11. **for the best : best** est employé ici avec une valeur de nom, « *pour le mieux* ».
12. **twice :** *deux fois ;* on ne dit généralement pas **two times,** sauf dans l'expression : **two or three times,** *deux ou trois fois ;* une fois : **once ;** deux fois : **twice ;** trois fois : **three times** (thrice est archaïque).
13. **cocked,** to **cock a gun** = to **raise the cock of a gun :** *lever le chien d'un fusil,* i.e. *armer.*

It was a singular sight which met our eyes. On the table stood a dark lantern with the shutter half open, throwing a brilliant beam of light upon the iron safe, the door of which was ajar[1]. Beside this table, on the wooden chair, sat Dr Grimesby Roylott, clad[2] in a long grey dressing-gown, his bare ankles protruding beneath, and his feet thrust into red heelless Turkish slippers[3]. Across his lap[4] lay the short stock[5] with the long lash which we had noticed during the day. His chin was cocked upwards, and his eyes were fixed in a dreadful rigid stare at the corner of the ceiling[6]. Round his brow[7] he had a peculiar yellow band, with brownish speckles, which seemed to be bound tight round his head. As we entered he made neither sound nor motion.

"The band ! the speckled band !" whispered Holmes.

I took a step forward : in an instant his strange headgear[8] began to move, and there reared itself[9] from among his hair the squat diamond-shaped head and puffed neck of a loathsome serpent.

"It is a swamp adder[10] !" cried Holmes — "the deadliest snake in India. He has died within ten seconds of being bitten. Violence does, in truth, recoil upon the violent, and the schemer[11] falls into the pit which he digs for another.

---

1. **ajar,** adj. a door ajar : *une porte entrouverte ;* certains adj. commençant par le préfixe « a » : **asleep, alone, alive, afraid,** etc. se placent après le nom : I can't carry a man asleep : *je ne peux pas porter un homme endormi.*
2. **clad,** litt., part. passé archaïque de to clothe, clothed, clothed : *vêtir, habiller.*
3. **heelless Turkish slippers** : « *des pantoufles turques sans talons* ».
4. **lap** : partie du corps chez une personne assise comprise entre la taille et les genoux (giron).
5. **stock,** handle (of a tool, instrument, etc.) : *le manche.*
6. **his eyes... ceiling** : « *ses yeux étaient fixés sur le coin du plafond en un regard horrible et rigide* ».
7. **brow** [braʊ] = forehead ['fɔrid] : *le front.*
8. **headgear** : ['hedɡiəɾ], sing. invar. : *couvre-chef ;* mot de sens plus général que hat *(chapeau).*
9. **there reared itself... the... head** = there lifted up the

Un spectacle étonnant s'offrit à notre vue. Sur la table était posée une lanterne sourde qui, par son volet entrouvert, projetait un rayon brillant sur le coffre métallique dont la porte était entrebâillée. A côté de la table, sur la chaise de bois, était assis le Dr Grimesby Roylott, vêtu d'une longue robe de chambre grise, d'où émergeaient ses chevilles dénudées et ses pieds chaussés de babouches rouges. Sur ses genoux reposait le manche court de la longue laisse que nous avions remarquée la veille. Il avait le menton soulevé, ses yeux regardaient un coin du plafond avec la fixité horrible de la mort. Autour de son front, était enroulée une curieuse bande jaune mouchetée de brun qui semblait lui serrer étroitement la tête.

« La bande ! La bande mouchetée ! » murmura Holmes.

Je fis un pas en avant. En un instant son étrange coiffure commença à bouger et de sa chevelure, se dressa, au bout d'un cou gonflé, la petite tête en forme de losange d'un répugnant serpent.

« C'est une vipère des marais ! » s'écria Holmes, « le serpent le plus venimeux des Indes. Le docteur est mort en moins de dix secondes après avoir été mordu. La violence, en vérité, retombe sur le violent et l'auteur de sombres machinations glisse dans la fosse qu'il avait creusée pour un autre.

---

head : *se dressa la tête ;* pour un cheval **to rear** (intrans.) : *se cabrer.*

10. **a swamp adder :** aucune espèce de serpent venimeux ne répond aux commentaires de Holmes. Il se peut que « la Bande Mouchetée » ait été une vipère ou un cobra. Le fait que le docteur soit mort en moins de 10 secondes alors que Julia avait eu le temps de faire plusieurs choses puis « de sombrer dans le coma » avant de mourir, peut suggérer que le diabolique Roylott avait deux serpents différents dans son coffre-fort.

11. **schemer** ['ski:mər] : de **to scheme**, *comploter, intriguer ; celui qui complote.*

Let us thrust [1] this creature back into its den [2], and we can then remove Miss Stoner to some place of shelter, and let the county police know [3] what has happened."

As he spoke he drew the dog whip swiftly from the dead man's lap, and throwing the noose [4] round the reptile's neck, he drew it from its horrid perch, and carrying it at arm's length [5], threw it into the iron safe, which he closed upon it.

Such are the true facts of the death of Dr Grimesby Roylott, of Stoke Moran. It is not necessary that I should prolong [6] a narrative which has already run to too great a length [7], by telling how we broke the sad news [8] to the terrified girl, how we conveyed her by the morning train to the care of her good aunt at Harrow, of how the slow process of official inquiry came to the conclusion that the Doctor met his fate while indiscreetly [9] playing with a dangerous pet. The little [10] which I had yet to learn of the case was told me by Sherlock Homes as we travelled back next day.

"I had," said he, "come to an entirely erroneous conclusion [11] which shows, my dear Watson, how dangerous it always is to reason from insufficient data. The presence of the gipsies, and the use of the word "band", which was used by the poor girl, no doubt, to explain the appearance which she had caught a hurried glimpse of [12] by the light of her match, were sufficient to put me upon an entirely wrong scent [13].

---

1. **to thrust (thrust, thrust) :** *lancer brusquement ;* exprime un acte plus violent que le v. **to throw**.
2. **den :** *repaire* caché d'un animal féroce, par ex. le lion.
3. **let the police know,** to let, let, let : *laisser, permettre ;* « *laisser la police savoir* » ; Δ **to leave,** left, left : *laisser, abandonner, quitter ;* I left him at the door : *je l'ai laissé à la porte.*
4. **the noose,** = the loop, *la boucle,* cf. page 68.
5. **at arm's length :** cf. page 72, note n° 5.
6. **it is not necessary that I should prolong,** should : subj. amené par l'expression it is not necessary that.
7. **too great a length :** après les adv. too, as, how, quite et so, l'art. indéfini se place entre l'adj. et le n. sing. ex : he is as tall a man as his brother, *c'est un homme aussi grand que son frère.*

Rejetons cette créature dans sa tanière, puis nous trouverons quelque refuge pour Miss Stoner et informerons la police locale de ce qui s'est passé. »

Tout en parlant, il saisit en un éclair la laisse sur les genoux du mort, et jetant le nœud coulant autour du cou du reptile, il l'arracha de son horrible perchoir et le portant à bout de bras le lança dans le coffre-fort dont il referma la porte.

Tels sont les faits exacts relatifs à la mort du Dr Grimesby Roylott, de Stoke Moran. Je ne prolongerai pas ce récit qui a déjà bien trop duré. Il suffira d'ajouter que nous avons appris la triste nouvelle à la jeune fille terrifiée, que nous l'avons accompagnée par le train du matin chez sa bonne tante d'Harrow, que l'enquête officielle, après de longues investigations, a conclu que le docteur avait trouvé la mort en manipulant imprudemment un animal dangereux qu'il élevait. Le peu qui me restait à apprendre de cette affaire me fut raconté par Holmes lors de notre voyage de retour le lendemain.

« J'en étais arrivé, » dit-il, « à une conclusion totalement erronée, ce qui montre, mon cher Watson, combien il est dangereux de fonder son raisonnement sur des données insuffisantes. La présence des bohémiens et l'emploi du mot « bande » par l'infortunée Julia, pour expliquer sans doute ce qu'elle avait entrevu en un éclair à la lueur de son allumette, avaient suffi à me mettre sur une piste totalement fausse.

---

8. **broke the sad news :** to **break** a ici le sens de *faire savoir sans préparation une nouvelle fâcheuse.*
9. **indiscreetly :** 1) *d'une manière indiscrète ;* 2) (ici) *imprudemment, sans prendre de précautions.*
10. **the little :** n. employé parce que l'idée générale sousentendue est au sing. invariable (**information**).
11. **erroneous conclusion which :** which pron. relatif qui a pour antécédent une proposition, *ce qui, chose qui ;* en ce cas **which** devrait être précédé d'une virgule.
12. **caught a hurried glimpse of,** to **catch, caught, caught, a glimpse :** *avoir une vue très rapide* et par conséquent incomplète *de quelque chose ;* **hurried glimpse** semble être un pléonasme.
13. **a wrong scent :** *une fausse piste ;* seize lignes plus loin C. Doyle emploie le synonyme **track.**

I can only claim the merit that I instantly reconsidered my position, when, however, it became clear to me that whatever danger threatened an occupant of the room could not come either from the window or the door.

My attention was speedily drawn, as I have already remarked to you, to this ventilator, and to the bell-rope which hung down to the bed. The discovery that this was a dummy, and that the bed was clamped to the floor, instantly gave rise to the suspicion that the rope was there as a bridge[1] for something passing through the hole, and coming to the bed. The idea of a snake instantly occurred to me, and when I coupled[2] it with my knowledge that the Doctor was furnished[3] with a supply of creatures from India, I felt that I was probably on the right track. The idea of using a form of poison which could not possibly[4] be discovered by any chemical test was just such a one as would occur to a clever and ruthless[5] man who had an Eastern training[6]. The rapidity with which such a poison would take effect would also, from his point of view, be an advantage. It would be a sharp-eyed coroner indeed who could distinguish the two little dark punctures[7] which would show where the poison fangs[8] had done their work. Then I thought of the whistle. Of course, he must recall[9] the snake before the morning light revealed it to the victim[10]. He had trained it, probably by the use of the milk which we saw, to return to him when summoned[11].

---

1. **bridge** : ici *un passage* pour aller d'un point à un autre en franchissant un vide (le cordon de sonnette).

2. **to couple** = to join : *relier deux choses ensemble,* au sens concret ou abstrait.

3. **furnished.** supplied with, provided with : *fourni, approvisionné ;* ▲ to furnish : *meubler ;* furnished flats : *appartements meublés.*

4. **could not possibly** : l'adv. insiste sur l'impossibilité totale.

5. **ruthless** : *cruel, sans pitié ;* de **ruth** (archaïque), *pitié* + **less** suffixe privatif *(sans).*

6. **training** : 1) *formation* en vue d'une spécialisation dans une activité professionnelle : médecin, professeur, ingénieur ; 2) *entraînement sportif.*

Mon seul mérite fut de reconsidérer immédiatement ma position lorsque, cependant, je compris clairement que quel que fût le danger qui menaçait l'occupant de cette chambre, il ne pouvait provenir ni de la fenêtre ni de la porte.

Mon attention fut vite attirée, comme je vous l'ai déjà fait remarquer, par cette bouche d'aération, et par le cordon de sonnette qui pendait jusque sur le lit. La découverte que cette sonnette n'en était pas vraiment une, et que le lit était vissé dans le parquet, me fit soupçonner que le cordon était une sorte de passerelle permettant à quelque chose, s'introduisant par le trou d'aération, de descendre jusqu'au lit. L'idée d'un serpent se présenta immédiatement à mon esprit, et lorsque je l'associai à l'information que le docteur recevait des animaux qu'on lui expédiait des Indes, je sentis que j'étais probablement sur la bonne piste. L'idée d'utiliser un poison qu'absolument aucune analyse chimique ne pourrait déceler était bien en effet celle qui pouvait germer dans l'esprit d'un homme intelligent et cruel qui avait été formé en Orient. La rapidité avec laquelle un poison de ce genre pouvait agir aurait, dans sa situation, un autre avantage. Il faudrait un coroner à l'œil bien exercé pour distinguer les deux petites marques sombres laissées par les crochets venimeux, une fois leur œuvre accomplie. Puis je pensai au coup de sifflet. Evidemment le docteur devait rappeler le serpent avant que la victime ne le voie à la lumière du jour. Il l'avait dressé à rentrer lorsqu'il le rappelait, probablement grâce au lait que nous avons vu.

---

7. **puncture** : *petit trou* fait avec une pointe acérée, ici, les crochets venimeux du serpent ; il peut s'agir aussi du trou fait par un clou dans un pneu ; **a puncture** : *une crevaison.*

8. **a fang** : *une longue dent pointue,* par ex. le croc d'un chien ou le crochet d'un serpent.

9. **to recall,** = **to call back** : *rappeler* (ici le serpent) ; **△ to recall** = **to call back to memory** : *se souvenir, se rappeler :* **I can't recall his face** : *je ne peux me rappeler son visage.*

10. **before the morning... victim** : « *avant que la lumière du matin ne le révèle à sa victime* ».

11. **to summon** : *convoquer officiellement ;* ici = **to recall** : *rappeler.*

He would put it [1] through the ventilator at the hour that he thought best [2], with the certainty that it would crawl down [3] the rope, and land on the bed. It might or might not bite the occupant, perhaps she might escape every night for a week [4], but sooner or later [5] she must fall a victim.

"I had come to these conclusions before ever [6] I had entered his room. An inspection of his chair showed me that he had been in the habit of standing on it, which, of course, would be necessary in order that he should reach [7] the ventilator. The sight of the safe, the saucer of milk, and the loop of whipcord were really enough to finally dispel any doubts which may have remained. The metallic clang heard by Miss Stoner was obviously caused by her stepfather hastily closing the door of his safe upon its terrible occupant. Having once made up my mind, you know the steps which I took in order to put the matter to the proof. I heard the creature hiss [8], as I have no doubt that you did also, and I instantly lit the light and attacked it."

"With the result of driving it [9] through the ventilator."

"And also with the result of causing it to turn upon its master at the other side. Some of the blows of my cane came home [10], and roused its snakish temper, so that it flew upon the first person it saw [11]. In this way I am no doubt indirectly responsible for Dr Grimesby Roylott's death, and I cannot say that it is likely to weigh very heavily upon my conscience."

---

1. **he would put it :** forme fréquentative au passé ; se traduit par l'imparfait français : *il le faisait passer.*
2. **he thought best :** forme simplifiée pour **he thought was the best** : « *à l'heure qu'il estimait la meilleure* ».
3. **crawl down :** **down** donne la direction du mouvement et **crawl** la façon d'opérer ce mouvement : *descendre en glissant, en rampant* (serpent) ; cf. p. 46, note 5.
4. **perhaps she might... a week :** « *peut-être pourrait-elle échapper* (à la mort) *toutes les nuits pendant une semaine* ».
5. **sooner or later :** un comparatif anglais peut se rendre par un simple adj. ou adv. français quand il y a une idée d'opposition entre deux éléments : *tôt ou tard ;* **the bigger ships,** *les grands navires* (opposés aux petits).

Il le faisait passer par la bouche d'aération à l'heure qu'il jugeait la plus favorable, sachant qu'il descendrait le long du cordon pour arriver sur le lit. Il n'était pas certain qu'il mordrait la dormeuse, peut-être rien ne se passerait pendant toute une semaine, mais tôt ou tard elle devait succomber.

J'étais arrivé à ces conclusions avant même de pénétrer dans la chambre du docteur. Examinant sa chaise, j'en avais déduit qu'il avait l'habitude de se tenir debout dessus, ce qui, évidemment, lui était indispensable pour pouvoir atteindre la bouche d'aération. La vue du coffre-fort, de la soucoupe de lait, et du nœud coulant au bout de la laisse, suffirent amplement à dissiper les derniers doutes que j'aurais pu avoir encore. Le bruit métallique entendu par Miss Stoner avait, de toute évidence, été produit par la fermeture du coffre par son beau-père, pressé d'y enfermer son terrible pensionnaire. Ayant donc décidé de la conduite à tenir, vous savez les mesures que j'ai prises pour établir le bien-fondé de mon plan. Comme vous, j'en suis sûr, j'ai entendu l'animal siffler, et, allumant instantanément la lumière, l'ai attaqué. »

« C'est donc pour cela qu'il est repassé par la bouche d'aération ? »

« C'est pour cela aussi que, revenu dans la chambre de son maître, il s'est retourné contre lui. Les coups infligés par ma badine l'on atteint et ont excité ses humeurs de serpent et il s'est précipité sur la première personne qu'il a vue. C'est certainement moi qui, indirectement, ai causé la mort du Dr Grimesby Roylott, mais je ne crois pas qu'elle pèsera bien lourd sur ma conscience.

---

6. **before ever :** ici **ever** renforce **before** = **even before,** *avant même que.*

7. **in order that he should reach :** proposition de but = **in order that, so that :** *afin que ;* ces conjonctions sont suivies du subjonctif ; on peut remplacer la proposition subjonctive par une prop. infinitive : **for him to reach.**

8. **I heard the creature hiss :** après les verbes de perception (**to see, to hear, to feel**) on emploie l'infinitif sans **to.**

9. **driving it :** « *le chasser* ».

10. **to come home :** ici, *atteindre l'endroit voulu :* i.e. le corps du serpent.

11. **the first person it saw :** le relatif **that,** obligatoire après le comparatif **first,** est sous-entendu : **the first person that it saw.**

The three students

Les trois étudiants

It was in the year '95[1] that a combination of events, into which I need not[2] enter, caused Mr Sherlock Holmes and myself[3] to spend some weeks in one of our great University towns[4], and it was during this time that the small but instructive adventure which I am about to relate befell us[5]. It will be obvious that any details which would help the reader to exactly identify[6] the college[7] or the criminal would be injudicious[8] and offensive[9]. So painful a scandal[10] may well be allowed to die out. With due[11] discretion the incident itself may, however, be described, since it serves to illustrate some of those qualities for which my friend was remarkable. I will endeavour in my statement to avoid such terms as would serve to limit the events to any particular place, or give a clue[12] as to the people concerned.

We were residing at the time in furnished lodgings[13] close to a library where Sherlock Holmes was pursuing some laborious researches in Early English charters[14] — researches which led to results so striking that they may be the subject of one of my future narratives. Here it was that one evening we received a visit from an acquaintance, Mr Hilton Soames, tutor[15] and lecturer[16] at the College of St Luke's.

---

1. **in the year '95** : sous-entendu 18(95). L'apostrophe en anglais remplace les chiffres ou lettres omis : I told 'em = I told them.

2. **I need not enter** : need exprime la nécessité. C'est l'équivalent de must à la forme négative : ce *n'est pas la peine de* ; auxiliaire défectif donc infinitif incomplet et pas de « do » à la forme négative ou interrogative.

3. **myself** : forme d'insistance pour « me ».

4. **great university towns** : Oxford ou Cambridge.

5. **befell** : to befall, befell, befallen ; style soutenu pour « happened », employé pour quelque chose de fâcheux.

6. **to exactly identify** : construction appelée « split infinitive » ; l'adv. est placé entre « to » et le v. ; relativement peu employée sauf aux U.S.A.

7. **college** : une grande université britannique comme Cambridge est divisée en « colleges » (19) où les étudiants, ainsi que certains de leurs professeurs vivent obligatoirement.

8. **injudicious** : *qui ne fait pas preuve de jugement, peu raisonnable.*

C'est en l'année 95 qu'un concours particulier de circonstances qu'il est inutile d'évoquer ici, nous obligea, M. Sherlock Holmes et moi-même, à passer quelques semaines dans l'une de nos grandes villes universitaires ; c'est à cette époque que nous arriva l'aventure mineure, mais non sans intérêt, que je vais vous raconter. Il est évident qu'il serait peu raisonnable et même choquant que le lecteur essaye, utilisant n'importe quel détail, d'identifier avec précision le « college » ou le criminel. Il faut surtout laisser un si pénible scandale s'éteindre de lui-même. Avec toute la discrétion nécessaire, toutefois, on peut relater l'incident puisqu'il va servir à illustrer certaines des qualités si remarquables de mon ami. Je m'efforcerai dans la présentation des faits, d'éviter les termes qui pourraient servir à localiser ces événements dans un endroit particulier ou à fournir un indice quelconque quant à l'identité des personnes concernées.

En ce temps-là, nous habitions dans un garni, tout près d'une bibliothèque où Sherlock Holmes poursuivait de laborieuses recherches sur les Chartes anglaises médiévales, recherches qui ont donné des résultats si frappants qu'elles seront peut-être le sujet de l'une de mes futures histoires. C'est là qu'un soir nous reçûmes la visite d'une de nos connaissances, M. Hilton Soames, maître de conférences et directeur d'études au « College de St Luke ».

---

9. **offensive** : *déplaisant, choquant.*
10. **so painful a scandal** : ▲ dans les constructions avec « **so** », **as, too** et **how**, l'article indéfini se place entre l'adjectif et le nom concret singulier. Autre construction possible : avec **such** : **such a painful scandal** ; au pluriel, seule cette dernière est possible : **such painful scandals**.
11. **with due discretion** [dju:] : *convenable, suffisant ;* cf. **in due course** : *en temps voulu.*
12. **clue** [klu:] : quelque *indice* qui peut aider à la solution d'une énigme, d'une devinette, d'une enquête, etc.
13. **furnished lodgings** : ▲ furnished (cf. furniture) : *meublé ;* **lodgings** (au pluriel dans ce sens) ; **to take lodgings** : *prendre pension.*
14. **Early English charters** : chartes anglaises octroyées dès le Moyen Âge.
15. **tutor** : dans les collèges anglais, *professeurs* qui dirigent les études d'un groupe d'étudiants.
16. **lecturer** : de « **lecture** », *conférence ; maître de conférences.*

Mr Soames was a tall, spare [1] man, of a nervous and excitable temperament. I had always known him to be restless in his manner, but on this particular occasion he was in such a state of uncontrollable agitation that it was clear something very unusual had occurred.

"I trust, Mr Holmes, that you can spare me a few hours of your valuable [2] time."

"We have had a very painful incident at St Luke's [3], and really, but for [4] the happy chance of your being in the town, I should have been at a loss [5] what to do."

"I am very busy now, and I desire no distractions [6], my friend answered. "I should much prefer that you called in [7] the aid of the police."

"No, no, my dear sir ; such a course is utterly [8] impossible. When once the law is evoked it cannot be stayed [9] again, and this is just one of those cases where, for the credit of the college, it is most essential to avoid scandal. Your discretion is as well known as your powers, and you are the one man [10] in the world who can help me. I beg you, Mr Holmes, to do what you can."

My friend's temper had not improved since he had been deprived of the congenial [11] surroundings of Baker Street [12]. Without his scrap-books [13], his chemicals, and his homely untidiness, he was an uncomfortable man.

---

1. **spare** : *mince, maigre ;* « **lean** » est plus courant.
2. **valuable** : adjectif, *qui a une grande valeur ; qui vaut beaucoup d'argent ;* peut être aussi un nom pluriel, **your valuables,** *vos objets de valeur.*
3. **St Luke's** [lu:ks] : cas possessif incomplet, **college** est sous-entendu. Ce collège est une invention de l'auteur.
4. **but for** : valeur négative de « **but** » = if not.
5. **to be at a loss** : « *être perdu »,* ne pas savoir que penser ou faire.
6. **distraction** : ici, *détournement de l'attention ; distraction, amusement ; folie :* **you drive me to distraction** : *vous me rendez fou.*

M. Soames était un homme grand et maigre, de caractère nerveux et émotif. Je l'avais toujours connu très agité dans son comportement, mais en la circonstance il était en proie à un énervement qu'il ne pouvait maîtriser ; il était évident que quelque chose d'extraordinaire était arrivé.

« J'espère; M. Holmes, que vous allez pouvoir me consacrer quelques-uns de vos si précieux instants.

Il s'est produit à St Luke un déplorable incident, et vraiment, sans ce hasard heureux de votre présence dans notre ville, je n'aurais absolument pas su à quel saint me vouer. »

« Je suis très occupé en ce moment, et n'entends pas être dérangé », répondit mon ami. « J'aimerais beaucoup mieux que vous fassiez appel à la police. »

« Non, non, cher monsieur ; une telle ligne d'action est absolument impossible. Une fois la justice mise en marche on ne peut plus l'arrêter, et dans l'affaire en question, il faut à tout prix, pour la réputation de notre collège, éviter le scandale. Vous êtes tout aussi célèbre pour votre discrétion que pour votre compétence, et vous êtes le seul homme au monde capable de me porter secours. Je vous supplie, M. Holmes, de faire tout ce qui est en votre pouvoir. »

L'humeur de mon ami ne s'était pas améliorée depuis qu'il était privé du cadre sympathique de son logement de Baker Street. Sans ses albums, ses produits chimiques et le désordre familier dans lequel il vivait, il ne se sentait pas à l'aise.

---

7. **to call in :** s'emploie pour un appel urgent : police, docteur, etc.

8. **utterly :** adv. de **utter,** comp. irrég. de « out » dans le sens de complet, total.

9. **to stay :** v. tr., to stay the law : *arrêter le cours de la justice.*

10. **the one man :** the only man : *le seul homme.*

11. **congenial :** *agréable, sympathique.*

12. **Baker Street** ['beikə stri:t] : rue du centre de Londres où habitaient Holmes et Watson.

13. **scrap-book :** album composé de pages blanches que l'on peut garnir d'une collection de photos, articles de journaux, notes, etc.

He shrugged his shoulders in ungracious acquiescence, while our visitor in hurried words and with much excitable gesticulation poured forth [1] his story.

"I must explain to you, Mr Holmes, that tomorrow is the first day of the examination for the Fortescue Scholarship [2]. I am one of the examiners. My subject is Greek, and the first of the papers consists [3] of a large passage of Greek translation which the candidate has not seen. This passage is printed on the examination paper, and it would naturally be an immense advantage if the candidate could prepare it in advance. For this reason great care is taken to keep the paper secret.

Today about three o'clock the proofs [4] of this paper arrived from the printers. The exercise consists of half a chapter of Thucydides [5]. I had to read it over carefully, as the text must be absolutely correct. At four-thirty my task was not yet [6] completed. I had, however, promised to take tea in a friend's rooms [7], so I left the proof upon my desk. I was absent rather more than an hour. You are aware [8], Mr Holmes, that our college doors are double — a green baize one [9] within [10] and a heavy oak one without. As I approached my outer [11] door I was amazed to see a key in it. For an instant I imagined that I had left my own there, but on feeling [12] in my pocket I found that it was all right.

---

1. **poured forth :** forth = forward, mais ici l'équivalent de « out ».
2. **scholarship :** *bourse d'études*. Certaines de ces bourses sont attribuées par concours.
3. **consists :** deux constructions : **consists of** = *est composé de :* **the group consists of six members,** *le groupe est composé de six membres ;* **consists in** = *réside en* ou *dans :* **the beauty of this town consists in its monuments,** *la beauté de cette ville réside dans ses monuments.*
4. **proofs :** en typographie, textes imprimés d'un manuscrit que l'on peut corriger, mot employé surtout au pluriel ; **to read the proofs,** *corriger les épreuves.*
5. **Thucydides** [θju'sididiz] : grand historien grec (460-395 av. J.C.) auteur de « la Guerre du Péloponèse ».
6. **not yet :** *pas encore ;* **yet** dans une phrase nég. = *encore ;* dans une phrase interrog. = *déjà :* **has he come**

102

Il haussa les épaules pour donner à contrecœur son assentiment ; sur quoi notre visiteur, à grand renfort de gestes et de paroles précipitées, débita son histoire.

« Il faut que je vous informe, M. Holmes, que, demain, commence le concours pour la Bourse Fortescue, dont je suis l'un des examinateurs. Je corrige le grec, et la première des épreuves dans cette matière consiste en la traduction d'un long passage de grec que le candidat ne connaît pas. Ce texte est imprimé sur la feuille d'examen et tout candidat qui pourrait préparer sa version à l'avance serait immensément avantagé. C'est pourquoi on veille soigneusement à tenir le sujet rigoureusement secret.

« Aujourd'hui vers trois heures de l'après-midi, les épreuves sont arrivées de chez l'imprimeur. Le texte de la version consiste en la moitié d'un chapitre de Thucydide. C'est mon devoir de relire soigneusement le texte, afin qu'il soit absolument sans fautes. À seize heures trente je n'avais pas terminé ce travail. Toutefois, ayant promis d'aller prendre le thé chez un ami, je laissai le sujet sur mon bureau. Je me suis absenté un peu plus d'une heure. Vous savez, M. Holmes, que nos appartements, au collège, ont une double porte, l'une capitonnée de feutrine verte, à l'intérieur, et l'autre en chêne massif, à l'extérieur. En approchant de cette porte extérieure, je fus surpris de voir une clé dans la serrure. Je supposai d'abord que c'était la mienne, que j'y avais laissée, mais en tâtant dans ma poche, je l'y trouvai.

---

yet ? *est-il déjà arrivé ?* à la forme affirm. on emploie « still » : at nineteen he's still at school, *à dix-neuf ans il est encore à l'école.*

7. **rooms :** l'appartement attribué au directeur d'études dans le collège.

8. **aware of :** (avec un nom), **aware that** (avec une subordonnée), adj., *informé, au courant* = **to know.**

9. **one :** pron. indéf. évite la répétition du nom « door ».

10. **within :** adv. = **inside,** *à l'intérieur* ≠ **without,** *à l'extérieur.*

11. **outer :** adj. formé sur « out », *extérieur.* On trouve de même : **inner (in), upper (up), utter (out).** Ces anciens comparatifs ne sont plus que des épithètes.

12. **on feeling :** **on** + gérondif, exprime une action brève immédiatement antérieure à la principale ; **feeling,** *idée de tâter avec les doigts.*

The only duplicate which existed, so far as [1] I knew, was that which belonged to my servant, Bannister, a man who has looked after [2] my rooms for [3] ten years, and whose honesty is absolutely above suspicion. I found that the key was indeed his [4], that he had entered my rooms to know if I wanted tea, and that he had very carelessly left the key in the door when he came out. His visit to my room must have been within [5] a very few minutes of my leaving [6] it. His forgetfulness about the key would have mattered little upon any other occasion, but on this one day [7] it has produced the most deplorable consequences.

"The moment I looked at my table I was aware that someone had rummaged among my papers. The proof was in three long slips [8]. I had left them all together. Now I found that one of them was lying on the floor, one was on the side-table near the window, and the third was where I had left it."

Holmes stirred for the first time.

"The first page on the floor, the second in the window, and the third where you left it," said he.

"Exactly, Mr Holmes. You amaze me [9]. How could you possibly know that ?"

"Pray continue your very interesting statement."

"For an instant I imagined that Bannister had taken the unpardonable liberty of examining my papers. He denied it, however, with the utmost [10] earnestness, and I am convinced that he was speaking the truth [11].

---

1. **so far as,** ou as far as (I knew) : « *aussi loin que* » *(je le savais) = pour autant que je sache, à ma connaissance.*
2. **look after** = attend on, serve, *s'occuper de* (en tant que domestique).
3. **has looked after my rooms for ten years** : « for » exprime la durée d'une action non terminée ; dans ce cas l'anglais emploie le pres. perf. et le français, le prés. de l'ind.
4. **his** : pron. poss. masc. 3e pers. sing.
5. **within** : prép., à l'intérieur de certaines limites de temps ou de distance : **within an hour, within three miles** : *en moins d'une heure, en moins de cinq kilomètres.*
6. **of my leaving** : le gérondif (**leaving**) est un véritable nom, qui peut être employé après une prép. ou un adj.

Le seul double de cette clé, à ma connaissance, était en la possession de mon domestique, Bannister, qui depuis dix ans s'occupe de mon logis et dont l'honnêteté est absolument au-dessus de tout soupçon. Je découvris que cette clé était bien la sienne, qu'il était entré chez moi pour me demander si je voulais une tasse de thé, et qu'en sortant, il avait fort négligemment oublié sa clé dans la serrure. Il a dû pénétrer chez moi seulement quelques minutes après mon départ. Sa négligence n'aurait eu guère d'importance en n'importe quelle autre occasion, mais ce jour particulier, elle a été grosse des conséquences les plus déplorables.

« Dès que mon regard s'est posé sur ma table de travail, je me suis rendu compte que quelqu'un avait fouillé dans mes papiers. Le sujet de la version couvrait trois longues feuilles de papier. Je les avais laissées toutes ensemble. Or, je découvris que l'une d'elles était sur le plancher, une autre sur une petite table près de la fenêtre et que la troisième était restée là où je l'avais laissée. »

Holmes fit un mouvement pour la première fois.

« La première page sur le plancher, la seconde près de la fenêtre, et la troisième là où vous l'aviez laissée », dit-il.

« C'est exact, M. Holmes. Vous me stupéfiez. Comment pouvez-vous bien avoir trouvé cela ? »

« Je vous prie de poursuivre votre très intéressant récit. »

« Pendant un moment, j'ai supposé que Bannister avait pris l'inexcusable liberté d'examiner mes papiers. Toutefois, il démentit cette accusation avec le plus grand sérieux, et j'ai la conviction qu'il disait la vérité.

---

pos. ; on peut donc le traduire par un nom : *après mon départ,* ou par un verbe : *après que je fus parti.*

7. **this one day :** « one » a le sens de « *particulier* » = **this very day,** *ce jour particulier.*

8. **slip (of paper) :** *feuille de papier,* longue et plutôt étroite.

9. **you amaze me :** Soames est étonné de ce que Holmes ait pu déterminer quel était le feuillet trouvé à un endroit particulier.

10. **utmost :** superlatif de "out" : *le plus grand, le plus important ;* autre forme : **outmost :** *le plus extérieur :* **the outmost part of the town :** *la partie la plus extérieure* (éloignée du centre) *de la ville.*

11. **to speak the truth** = to tell the truth : *dire la vérité.*

The alternative [1] was that someone passing had observed the key in the door, had known that I was out, and had entered to look at the papers. A large sum of money is at stake [2], for the scholarship is a very valuable one, and an unscrupulous man might very well run a risk in order to gain advantage over his fellows.

"Bannister was very much upset [3] by the incident. He had nearly fainted when we found that the papers had undoubtedly been tampered with [4]. I gave him a little brandy and left him collapsed in a chair [5] while I made a most careful examination of the room. I soon saw that the intruder had left other traces of his presence besides [6] the rumpled papers. On the table in the window were several shreds [7] from a pencil which had been sharpened. A broken tip of lead [8] was lying there also. Evidently the rascal had copied the paper in a great hurry, had broken his pencil, and had been compelled [9] to put a fresh point [10] to it."

"Excellent !" said Holmes, who was recovering his good humour as his attention became more engrossed [11] by the case. "Fortune has been your friend [12]."

"This was not all. I have a new writing-table [13] with a fine surface of red leather. I am prepared to swear, and so is Bannister, that it was smooth and unstained [14]. Now I found a clean [15] cut in it about three inches long [16] — not a mere scratch, but a positive [17] cut.

---

1. **the alternative** : the other possible solution or course of action : *la seule autre solution possible*.
2. **a stake** : *enjeu,* mise d'argent risquée dans un jeu de hasard, ou une entreprise quelconque ; **at stake** : *ce qui est en jeu,* i.e. ici, la bourse.
3. **to upset** : *faire faire du souci à, déranger quelqu'un* ; le premier sens physique du verbe est *renverser* : **to upset a cup** : *renverser une tasse.*
4. **to tamper with** : *toucher à quelque chose sans autorisation, mettre le nez dans* (papiers), *forcer* (serrure).
5. **in a chair** : la prép. "in" montre qu'il s'agit d'un *fauteuil* ; pour une chaise l'auteur aurait dit : **on a chair**.
6. **besides** : prép., *en plus de, outre* ; ne pas confondre avec "**beside**" prép., *à côté de, en comparaison de.*
7. **shreds** : (au plur. dans ce sens), *petits morceaux de...*

L'autre possibilité était que quelqu'un, en passant, ait remarqué la clé dans la serrure, ait compris que j'étais sorti, et soit entré pour regarder les épreuves. Une grosse somme d'argent est en jeu, car cette bourse est considérable, et un candidat peu scrupuleux aurait très bien pu courir ce risque afin de l'emporter sur ses concurrents.

« Bannister était réellement bouleversé par cet incident. Il s'est presque évanoui lorsque nous avons constaté que l'on avait indubitablement touché aux documents. Je lui ai fait boire une petit verre de cognac et je l'ai laissé affalé dans un fauteuil tandis que je me livrais à une inspection méticuleuse de la pièce. Je m'aperçus vite que l'intrus avait laissé d'autres traces de sa présence en plus des feuillets froissés. Sur la table près de la fenêtre il y avait les petites rognures de bois d'un crayon que l'on avait taillé, ainsi qu'un fragment de mine de plomb. De toute évidence, le vaurien, en se dépêchant de recopier le sujet, avait cassé son crayon, et avait dû le tailler à nouveau. »

« Excellent ! » s'exclama Holmes, qui recouvrait sa bonne humeur, au fur et à mesure qu'il se laissait gagner par cette affaire. « La chance vous a favorisé. »

« Ce n'est pas tout. J'ai une table à écrire neuve recouverte d'un fin cuir rouge. Je suis prêt à jurer, et mon domestique aussi, que ce cuir était lisse et sans défauts. Or j'ai découvert dans le cuir une entaille nette d'à peu près huit centimètres de long — non pas une simple égratignure, mais une coupure caractérisée.

---

8. **tip of lead** : "tip" : *extrémité pointue,* ex. : **the tips of one's fingers** : *le bout des doigts ;* "**lead**" : *plomb ;* une mine de crayon est faite de plombagine.

9. **compelled** : obliged : *contraint.*

10. **to put a fresh point** : *donner une pointe nouvelle.*

11. **engrossed** : taken up, *pris, absorbé, captivé.*

12. « *la chance a été votre amie* ».

13. **writing-table** = writing-desk, *table à écrire.*

14. **unstained** : « *sans taches* » ; il ne s'agit pas vraiment de taches mais de coupures.

15. **clean** : adj., *net.*

16. **three inches long** : **one inch** : *un pouce = 2,5 cm.*

17. **positive** : au sujet de laquelle on ne peut avoir de doutes.

Not only this, but on the table I found a small ball of black dough[1], or clay, with specks of something which looks like sawdust in it. I am convinced that these marks were left by the man who rifled[2] the papers. There were no footmarks and no other evidence as to his identity. I was at my wits' end[3], when suddenly the happy thought occurred to me that you were in the town, and I came straight round to put the matter into your hands. Do help me[4], Mr Holmes ! You see my dilemma. Either I must find the man, or else the examination must be postponed until fresh[5] papers are prepared, and since this cannot be done without explanation, there will ensue[6] a hideous scandal, which will throw a cloud not only on the college but on the University. Above all things, I desire to settle the matter quietly and discreetly."

"I shall be happy to look into it and to give you such advice[7] as I can," said Holmes, rising and putting on his overcoat. "This case is not entirely devoid of[8] interest. Has anyone visited you in your room after the papers came to you ?"

"Yes, young Daulat Ras, an Indian student[9] who lives on the same stair, came in to ask me some particulars[10] about the examination."

"For which he was entered[11] ?"

"Yes."

"And the papers were on your table ?"

"To the best of my belief[12] they were rolled up."

"But might be recognized as proofs ?"

---

1. **dough** [dəu] : pâte à pain composée de farine mêlée d'eau ; (argot) : *fric, oseille, galette.*
2. **to rifle :** mettre tout sens dessus dessous pour découvrir quelque chose.
3. **at my wits' end :** exemple d'expression traditionnelle employant un cas possessif ; « *au bout de mon esprit* » ; cf. **at arm's length :** *à bout de bras.*
4. **do help me :** forme d'insistance de l'impératif 2e pers.
5. **fresh :** new : *nouveau.*
6. **to ensue :** *arriver par la suite, s'ensuivre.*
7. **advice :** mot dit « indénombrable », toujours au singulier dans le sens collectif : **the advice he gives me :** *les conseils qu'il me donne ; un conseil ; a piece of advice ;* information

108

Il y a autre chose encore, sur la table j'ai trouvé une petite boule de pâte ou d'argile noire, couverte de petits grains de quelque chose qui ressemble à de la sciure de bois. J'ai la ferme conviction que ces marques ont été laissées par l'homme qui a fouillé dans les papiers. Il n'y avait aucune empreinte de pas, ni aucun autre indice pouvant révéler son identité. Je ne savais plus que faire, lorsque, heureusement, il me vint à l'esprit que vous résidiez dans notre ville, et je suis immédiatement venu mettre l'affaire entre vos mains. Je vous en supplie, M. Holmes, aidez-moi ! Vous comprenez mon dilemme. Je dois ou bien découvrir le coupable, ou bien remettre l'examen jusqu'à ce que de nouveaux sujets soient préparés, et comme ceci ne peut se faire sans que l'on fournisse une explication, il va s'ensuivre un abominable scandale, qui va couvrir d'opprobre non seulement le collège, mais l'Université. Je désire par-dessus tout, que le problème soit réglé calmement et discrètement. »

« Je serai ravi de m'en occuper et de vous conseiller de mon mieux, » dit Holmes, en se levant et en enfilant son pardessus. « Cette affaire est loin de manquer d'intérêt. Est-ce que quelqu'un est venu vous voir dans votre bureau après l'arrivée des épreuves ? »

« Oui, le jeune Daulat Ras, étudiant indien qui habite dans le même escalier ; il est venu me demander certains renseignements à propos du concours. »

« Auquel il était inscrit ? »

« Oui. »

« Et les épreuves étaient sur votre table ? »

« Autant que je sache, elles étaient en un rouleau. »

« Aurait-on pu savoir que c'était les épreuves ? »

(renseignements), **progress** (progrès), **knowledge** (connaissances), **evidence** (preuves), **nonsense** (bêtises), **damage** (dégâts), etc. sont du même type.

8. **devoid of, lacking in** : manquant de, dépourvu de.

9. **an Indian student** : l'apposition au singulier est introduite par l'art. indéfini.

10. **particulars** [pə'tikjuləz] : nom plur. inv. dans le sens de renseignements, détails.

11. **to enter an examination** : se faire inscrire à un examen.

12. **to the best of my belief** = as far as I know : pour autant que je sache.

"Possibly."

"No one else [1] in your room ?"

"No."

"Did anyone know that these proofs would be there ?"

"No one save [2] the printer."

"Did this man Bannister know ?"

"No, certainly not. No one knew."

"Where is Bannister now ?"

"He was very ill, poor fellow ! I left him collapsed [3] in the chair. I was in such a hurry to come to you."

"You left your door open ?"

"I locked the papers up first."

"Then it amounts to this, Mr Soames, that unless the Indian student recognized the roll as being proofs, the man who tampered with them came upon them accidentally without knowing [4] that they were there."

"So it seems to me."

Holmes gave an enigmatic smile.

"Well," said he [5], "let us go round. Not one of your cases, Watson — mental, not physical. All right ; come if you want to [6]. Now, Mr Soames — at your disposal !"

The sitting-room of our client opened by a long, low, latticed [7] window on to [8] the ancient lichen-tinted court of the old college. A Gothic arched door [9] led to a worn stone staircase. On the ground floor was the tutor's room. Above were three students, one on each storey [10].

---

1. **else** : adv. = besides, in addition : *d'autre.*
2. **save** = except, but : *sauf, excepté.*
3. **collapsed** [kə'læpst].
4. **without knowing** : après une préposition le verbe se met au gérondif.
5. **said he** : ordinairement la place normale du sujet est avant le verbe ; dans les propositions incidentes (dit-il, demandèrent-ils) il peut y avoir inversion ; cette construction se rencontre aussi quand le sujet est un nom : **said Mr. Williams.**
6. **come if you want to** : if you want to come ; pour éviter la répétition l'inf. peut être réduit à sa particule.

« C'est possible. »

« Personne d'autre n'est venu chez vous ? »

« Non. »

« Est-ce que quelqu'un savait que ces épreuves devaient être chez vous ? »

« Personne, à part l'imprimeur. »

« Ce domestique Bannister était-il au courant ? »

« Non, certainement pas ; personne n'en savait rien. »

« Où est Bannister en ce moment ? »

« Comme le pauvre homme paraissait fort mal en point, je l'ai laissé effondré dans son fauteuil. J'étais si pressé de venir vous voir. »

« Vous avez laissé votre porte ouverte ? »

« Oui, mais après avoir mis les documents sous clé. »

« Par conséquent tout cela, M. Soames, signifie que, à moins que l'étudiant indien n'ait reconnu dans le rouleau les épreuves en question, l'homme qui a fourré son nez dans les papiers est tombé dessus par hasard sans savoir à l'avance qu'ils étaient là. »

« C'est bien ce qu'il me semble. »

Holmes sourit de façon énigmatique.

« Ma foi, » dit-il, « allons voir cela de plus près. Ce n'est pas un cas pour vous, Watson — c'est plus psychologique que physique. Très bien, venez si cela vous fait plaisir. Et maintenant, M. Soames — je suis à votre disposition. »

Le bureau de notre client donnait, par une grande fenêtre peu élevée et treillissée, sur l'ancienne cour, colorée de lichen, du vieux collège. Une porte gothique en ogive ouvrait sur un escalier de pierre usé. Au rez-de-chaussée se trouvait l'appartement du directeur d'études. Au-dessus, logeaient trois étudiants, un par étage.

---

7. **latticed window :** a lattice, *un treillis* (de bois ou de métal) ; ancien type de fenêtre à petits carreaux assemblés et soutenus par d'étroites bandes de plomb.

8. **on to :** peut s'écrire aussi en un seul mot : **onto,** équivalent de « on » : **opening on to the ancient court :** *donnant sur la vieille cour.*

9. **a Gothic arched door :** style de construction courant en Europe occidentale entre les XIIe et XVIe siècles et dont les portes cintrées **(arched)** étaient l'une des caractéristiques.

10. **storey** (U.S. : **story**) : a floor : *un étage.*

It was already twilight when we reached the scene of our problem. Holmes halted and looked earnestly at the window. Then he approached it, and, standing on tiptoe [1], with his neck craned [2], he looked into [3] the room.

"He must [4] have entered through the door. There is no opening except the one pane," said our learned guide.

"Dear me !" said Holmes, and he smiled in a singular way as he glanced at our companion. "Well, if there is nothing to be learned here we had best [5] go inside."

The lecturer unlocked the outer door and ushered [6] us into his room. We stood at the entrance [7] while Holmes made an examination of the carpet.

"I am afraid there [8] are no signs here," said he. "One could hardly hope for any upon so dry a day [9]. Your servant seems to have quite recovered. You left him in a chair, you say ; which [10] chair ?"

"By [11] the window there."

"I see. Near this little table. You can come in now. I have finished with the carpet. Let us take the little table first. Of course, what has happened is very clear. The man entered and took the papers, sheet by sheet, from the central table. He carried them over to the window table, because from there he could see if you came across the courtyard, and so could effect an escape [12]."

---

1. **standing on tiptoe** = standing on the tips of his toes : *debout sur la pointe des pieds.*
2. **to crane one's neck** : *tendre le cou* (pour mieux voir). cf. **the crane** : *la grue,* oiseau à long cou.
3. **into** : indique que son regard pénètre dans la pièce.
4. **he must have entered** : must exprime la probabilité = he has probably entered.
5. **we had best go** : had best est l'équivalent de l'expression défective **had better** et se construit de même sans l'auxiliaire « do » et avec l'infinitif incomplet. Son emploi est moins fréquent que « had better ».
6. **to usher** : *mener, conduire, introduire ;* an usher, *un huissier, un portier ;* an usherette : *une ouvreuse.*
7. **entrance** : *une ouverture, porte, portail* par où l'on entre ; ne pas confondre avec « **entry** » : le fait de pénétrer ;

Le crépuscule tombait déjà lorsque nous arrivâmes sur les lieux de notre enquête. Holmes s'arrêta et examina consciencieusement la fenêtre. Puis il s'en approcha, et, debout sur la pointe des pieds, le cou tendu, plongea son regard dans la pièce.

« Il doit être entré par la porte. Il n'y a aucune ouverture à l'exception de cette unique vitre », dit notre guide distingué.

« Vraiment ! » dit Holmes, et un sourire singulier accompagna le coup d'œil qu'il jeta à notre compagnon. « Fort bien ! S'il n'y a rien à apprendre ici, mieux vaut pénétrer dans la pièce. »

Le maître de conférences fit jouer la serrure de la porte extérieure et nous introduisit dans son bureau. Nous attendîmes un moment sur le seuil tandis que Holmes examinait le tapis.

« Je crains qu'il n'y ait aucune trace ici », dit-il. « On ne pouvait guère s'attendre à autre chose par un temps aussi sec. Votre domestique semble s'être parfaitement remis. Vous l'avez laissé dans un fauteuil, dites-vous ; quel fauteuil ? »

« A côté de la fenêtre là-bas. »

« Je vois. Près de cette petite table. Vous pouvez entrer à présent. J'en ai fini avec le tapis. Commençons par la petite table. Evidemment, ce qui s'est passé est parfaitement clair. L'homme est entré, a pris les papiers, une feuille après l'autre, sur le bureau au centre. Il les a transportés jusqu'à la table près de la fenêtre, parce que de cet endroit, il pouvait vous voir traverser la cour, et à ce moment-là prendre la fuite. »

---

to **make one's entry** : *faire son entrée ;* « **no entry** » : *défense d'entrer* ou *sens interdit.*
8. **I am afraid there are** : omission de **that** ; cette expression marque davantage un regret qu'une crainte.
9. **so dry a day** : construction de la phrase : so + adj. + art. indéf. + nom sing. ; cette forme ne s'emploie pas au pluriel ; on doit dire : **such dry days.**
10. **which chair ?** : « **which** » adj. interrog. pour les personnes comme pour les choses, exprime le choix, à condition que ce choix soit limité à un petit nombre ; « **what chairs did he buy ?** » : *quelles chaises* (qualité, style) *a-t-il achetées ?.*
11. **by the window** = **near the window** : *près de la fenêtre.*
12. « accomplir une évasion ».

"As a matter of fact[1], he could not[2], said Soames, "for I entered by the side-door."

"Ah, that's good ! Well, anyhow[3], that was in his mind. Let me see the three strips. No finger impressions[4] — no ! Well, he carried over this one first and he copied it. How long would it take him to do that, using every possible contraction ? A quarter of an hour, not less. Then he tossed[5] it down and seized the next. He was in the midst[6] of that when your return caused him to make a very hurried retreat — *very* hurried, since he had not time to replace the papers which would tell you that he had been there. You were not aware of any hurrying feet on the stair as[7] you entered the outer door ?"

"No, I can't say I was."

"Well, he wrote so furiously that he broke his pencil, and had, as you observe, to sharpen it again. This is of interest, Watson. The pencil was not an ordinary one. It was above the usual size with a soft lead ; the outer colour was dark blue, the maker's name was printed in silver lettering[8], and the piece remaining is only about an inch and a half long. Look for[9] such a pencil, Mr Soames, and you have got your man. When I add that he possesses a large and very blunt[10] knife, you have an additional aid."

Mr Soames was somewhat[11] overwhelmed by this flood of information[12].

---

1. **as a matter of fact** = really, in fact : *en fait.*
2. **he could not** : sous-entendu, **effect an escape.**
3. **anyhow** = in any case : *de toute façon, en tout cas.*
4. **finger impressions :** *marques de doigts ;* cf. **finger prints :** *empreintes digitales.*
5. **to toss** = to throw : *lancer ;* to toss up : *jouer à pile ou face ;* let's toss up for it : *jouons-le à pile ou face.*
6. **midst :** expression littéraire pour **middle.**
7. **as :** conj. = **when** : *lorsque.*
8. **lettering :** lettres composant un mot, considérées surtout pour leur taille et leur genre, par exemple sur la couverture d'un livre.
9. **look for :** il y a en anglais 13 combinaisons du verbe « to look » avec une postposition qui en précise le sens.

« En fait, ça lui a été impossible », dit Soames, « car je suis entré par la petite porte. »

« Ah ! très bien ! De toute façon, c'est à cela qu'il avait pensé. Montrez-moi un peu ces trois feuillets. Pas de marques de doigts — non ! Bon, il a transporté d'abord celle-ci et l'a recopiée. Combien lui fallait-il de temps pour faire ce travail, en utilisant toutes les abréviations possibles ? Un quart d'heure, pas moins. Puis il l'a laissée tomber par terre et a saisi la suivante. Il était arrivé au milieu de cette dernière lorsque votre retour l'a fait battre en retraite, en hâte — en grande hâte, puisqu'il n'a pas eu le temps de remettre les papiers à leur place, ce qui ne manquerait pas de déceler sa venue. Vous n'avez perçu aucun bruit de pas précipités dans l'escalier tandis que vous franchissiez la porte extérieure ? »

« Non, je ne saurais l'affirmer. »

« Bon ! il a écrit avec une telle ardeur qu'il a cassé son crayon et qu'il a été contraint, comme vous pouvez l'observer, de le tailler à nouveau. Ceci ne manque pas d'intérêt, Watson. Ce crayon n'était pas d'un type courant. Il était plus gros que la moyenne, avec une mine tendre ; extérieurement il était bleu foncé, le nom du fabricant était en lettres d'argent, et le bout qui en reste ne mesure pas plus de quatre centimètres environ. Cherchez un crayon de cette description, M. Soames, et vous aurez votre coupable. Je peux même vous aider davantage en ajoutant que l'homme a un gros canif qui ne coupe guère. »

M. Soames sembla quelque peu dépassé par ce torrent d'informations.

---

10. **blunt :** *émoussé* ≠ **sharp :** *aiguisé, coupant* (couteau), *pointu* (crayon) ; au sens figuré, **a blunt statement :** *une déclaration brutale.*

11. **somewhat :** adv. = **rather :** *quelque peu, plutôt.*

12. **information :** voir page 108, note 7.

"I can follow the other points," said he, "but really in this matter of the length [1] —"

Holmes held out a small chip [2] with the letters NN and a space of clear wood [3] after them.

"You see ?"

"No, I fear that even now —"

"Watson, I have always done you an injustice. There are others. What could this NN be ? It is at the end of a word. You are aware that Johann Faber is the most common maker's name. Is it not clear that there is just as much of the pencil left as usually follows the Johann ?" He held the small table sideways to the electric light. "I was hoping that if the paper on which he wrote was thin some trace of it might [4] come through [5] upon this polished surface. No, I see nothing. I don't think there is anything more to be learned [6] here. Now for the central table. This small pellet [7] is, I presume, the black doughy mass you spoke of [8]. Roughly pyramidal in shape and hollowed out [9], I perceive. As you say, there appear to be grains [10] of sawdust in it. Dear me, this is very interesting. And the cut — a positive tear [11], I see. It began with a thin scratch and ended in a jagged [12] hole. I am much indebted to you for directing [13] my attention to this case, Mr Soames. Where does that door lead to ?"

---

1. **length :** nom, de l'adj. *long ;* cf. **lengthy** *(long, interminable)* et to **lengthen** *(allonger, prolonger).*

2. **chip :** petit *morceau* de bois, éclat de brique, écaille de peinture ; jeton dans les jeux de société ou de hasard ; petite rondelle de pomme de terre frite **(fish and chips) ;** cf. **a chipped cup :** *une tasse ébréchée.*

3. **clear wood :** là où le bois du crayon ne comportait aucune inscription ; « *bois net* ».

4. **might :** exprime l'éventualité.

5. **come through :** « *apparaître à travers* ».

6. **learned** [lə:rnd] : to **learn,** irrég. (learnt, learnt) est employé plus couramment que la forme régulière ; **learned** [lə:rnid] : adj. *savant, érudit.*

7. **pellet :** *petite boule* de n'importe quelle matière ; *gros plomb de chasse, chevrotine* (pour le gros gibier).

« Je suis à même de vous suivre sur les autres points », dit-il, « mais vraiment pour ce qui est de la longueur... »

Holmes lui tendit une petite rognure portant les lettres NN suivies d'aucune autre inscription.

« Vous voyez ? »

« Non, je crains bien que même maintenant... »

« Watson, j'ai toujours été injuste envers vous. Envers d'autres également. Que peuvent bien signifier ces deux lettres NN ? Elles sont placées à la fin d'un mot. Vous savez que Johann Faber est le nom du fabricant de crayons le plus connu. N'est-il pas évident qu'il reste du crayon la partie qui d'ordinaire fait suite au nom de Johann ? » Il inclina la petite table pour l'exposer à la lumière électrique. « J'espérais que si le papier sur lequel il a écrit était suffisamment mince, quelques traces auraient pu apparaître sur cette surface polie. Non, je ne vois rien. Je ne crois pas que nous puissions en apprendre davantage dans ce coin. Maintenant, voyons le bureau au centre. Cette boulette est, je suppose, le petit aggloméré de matière noire pâteuse dont vous nous avez parlé. A peu près en forme de pyramide et creuse à l'intérieur, à ce que je vois. Et comme vous le disiez, il semble que de la sciure y soit incorporée, ma parole. Voilà qui est réellement intéressant. Quant à la coupure — je constate que c'est une véritable entaille qui a commencé par une fine égratignure pour finir par un trou aux bords déchiquetés. Je vous suis très reconnaissant, M. Soames, d'avoir fait appel à moi pour cette affaire. Où mène cette porte ? »

---

8. **you spoke of :** le relatif « **that** » est sous-entendu et la préposition « **of** » rejetée après le verbe.

9. **to hollow out :** *creuser un trou* (a hollow) dans quelque chose ; **to hollow out a log :** *creuser un trou dans une bûche.*

10. **grain :** C. Doyle a utilisé, au début de l'histoire, le mot **speck** pour décrire les débris de sciure.

11. **a tear** [teər] : *une déchirure,* de (**to tear, tore, torn**), *déchirer,* ne pas confondre avec **a tear** [tiər], *une larme.*

12. **jagged :** qui a un bord inégal, déchiqueté, dentelé.

13. **I am much indebted** [in'detid] : **to you for** + le gérondif, *j'ai une grande dette* (**debt** [det]) *à votre égard* = **I am very grateful to you for...**

"To my bedroom."

"Have you been in it since your adventure ?"

"No ; I came straight away for you."

"I should like to have a glance round. What a charming, old-fashioned room ! Perhaps you will kindly wait¹ a minute until I have examined the floor. No, I see nothing. What about this curtain ? You hang your clothes behind it. If anyone were forced to conceal² himself in this room he must do it there, since the bed is too low and the wardrobe too shallow³. No one there, I suppose ?"

As Holmes drew the curtain I was aware, from some little rigidity and alertness of his attitude, that he was prepared for an emergency⁴. As a matter of fact the drawn curtain disclosed nothing but three or four suits of clothes⁵ hanging from a line of pegs⁶. Holmes turned away, and stooped suddenly to the floor.

"Halloa ! What's this ?" said he.

It was a small pyramid of black, putty⁷-like stuff⁸, exactly like⁹ the one upon the table of the study. Holmes held it out on his open palm in the glare¹⁰ of the electric light.

"Your visitor seems to have left traces in your bedroom as well as in your sitting-room, Mr Soames."

"What could he have wanted there ?"

---

1. **you will kindly wait :** formule de politesse = **please wait** ; autre formule : **will you be so kind as to wait** : *veuillez avoir l'amabilité d'attendre.*

2. **to conceal oneself** = **to hide (hid, hidden) oneself** : *se cacher.*

3. **shallow** ≠ **deep** : *peu profond, superficiel,* **a shallow thinker** : *un penseur superficiel ;* **the shallows** (plur. inv.) : *les hauts-fonds* (d'une rivière, etc.).

4. **emergency :** événement dangereux et inattendu ; « **emergency exit** » : *sortie de secours.*

5. **a suit of clothes :** ensemble comprenant, pour les hommes, une veste (**jacket**) et un pantalon (**trousers**), pour les femmes, une veste et une jupe (**skirt**).

6. **a peg :** pièce de bois ou de métal fixée dans un mur pour suspendre des vêtements, des chapeaux : *patère.*

7. **putty** ['pʌti] **-like** = **like putty** ; adj. composé : nom + **like**, cf. **childlike** : *enfantin ;* **catlike**, *félin.*

8. **stuff :** mot de sens très vague : 1) *matière, chose, truc, machin. fourbi ;* 2) (rare) : *étoffe.*

« A ma chambre à coucher. »

« Y êtes-vous entré depuis votre aventure ? »

« Non ; je me suis rendu directement chez vous. »

« J'aimerais y jeter un coup d'œil. Quelle charmante pièce dans le style ancien ! Voulez-vous avoir la gentillesse de patienter une minute que j'inspecte le plancher. Non, je ne vois rien. Qu'est-ce que ce rideau ? Vous suspendez vos vêtements derrière. Si quelqu'un avait à se cacher dans cette pièce, c'est là qu'il le ferait, étant donné que le lit est trop bas et l'armoire pas assez profonde. Il ne s'y trouve personne, je pense ? »

Au moment où Holmes tira le rideau, je sentis, à une certaine tension et à la vigilance manifestées dans son attitude, qu'il était prêt à toute éventualité. En fait, le rideau une fois tiré ne révéla que trois ou quatre complets pendus à des patères disposées en ligne. Holmes se détourna, et soudain se baissa.

« Ah ! Ah ! qu'avons-nous donc là ? » dit-il.

C'était une petite pyramide d'une matière noire semblable à du mastic, absolument identique à celle trouvée sur le bureau. Holmes nous la montra dans la paume de sa main sous la lumière crue de la lampe électrique.

« Votre visiteur semble avoir laissé des traces dans votre chambre aussi bien que dans votre bureau, M. Soames. »

« Que pouvait-il bien y chercher ? »

---

9. **like :** prép. comme, indique la ressemblance : **this actress walks like a queen :** *cette actrice marche comme une reine.* Ne pas confondre avec **"as"** conj. *comme, en tant que, en qualité de* ; **he works as a miner,** *il travaille comme mineur.*

10. **glare :** *lumière éblouissante ;* **to glare :** *briller, éblouir ;* beaucoup de verbes commençant par **"gl"** expriment les divers effets de lumière : **to gleam** *(luire),* **to glimmer** *(miroiter),* **to glint** *(briller),* **to glisten,** **to glitter** *(scintiller),* **to glow** *(rougeoyer).*

"I think it is clear enough. You came back by an unexpected way, and so he had no warning until you were at the very [1] door. What could he do ? He caught up everything which would betray him, and he rushed into your bedroom to conceal himself."

"Good gracious [2], Mr Holmes, do you mean to tell me that all the time I was talking to Bannister in this room we had the man prisoner if we had only known it ?"

"So I read it [3]."

"Surely there is another alternative [4], Mr Holmes ? I don't know whether you observed my bedroom window."

"Lattice-paned, lead framework [5], three separate windows, one [6] swinging on a hinge and large enough to admit a man."

"Exactly. And it looks out on [7] an angle of the court-yard so as to be partly invisible. The man might have effected his entrance there, left traces as he passed through the bedroom, and, finally, finding the door open, have escaped that way."

Holmes shook his head impatiently.

"Let us be [8] practical," said he. "I understand you to say [9] that there are three students who use this stair [10] and are in the habit of [11] passing your door ?"

"Yes, there are."

"And they are all in this examination ?"

"Yes."

"Have you any reason to suspect any one [12] of them more than the others ?"

Soames hesitated.

---

1. **at the very door** : **very,** adj. employé pour renforcer le nom : *même, justement, précis.*
2. **good gracious !** : exclamation exprimant la surprise, le dégoût, etc. = **gracious me ! good God !**
3. **so I read it** = I understand : *je comprends.*
4. **another alternative** : exprime une solution particulière de rechange et non le choix entre deux solutions possibles. Ce mot a donné le néologisme français critiqué : la seule alternative (solution) est d'accepter.
5. **lead framework,** a structure of lead : *un châssis de plomb.*
6. **one** : pron. indéf. mis pour **a window,** l'une des trois fenêtres.

« Je pense que le doute n'est pas possible. Vous êtes rentré par un chemin inattendu, il n'a donc pas été alerté avant que vous ne soyez arrivé à la porte même. Que pouvait-il faire ? Il a ramassé tout ce qui pouvait le trahir, et s'est précipité dans votre chambre pour s'y cacher. »

« Bonté divine, M. Holmes, voulez-vous dire que pendant tout le temps où je parlais à Bannister, nous l'avions à notre merci dans cette pièce-ci, si seulement nous l'avions su ? »

« C'est bien ainsi que je le comprends. »

« Il y a sûrement une autre possibilité, M. Holmes ? Je ne sais si vous avez observé la fenêtre de ma chambre. »

« Losanges de verre encadrés de plomb, trois vantaux séparés dont l'un pivotant sur une charnière et assez grand pour laisser passer un homme. »

« C'est exact. Et elle donne sur un coin de la cour de telle sorte qu'elle est en partie invisible. L'homme a pu entrer par là, laisser des traces en traversant la chambre, et, finalement, trouvant la porte ouverte, s'enfuir par là. »

Holmes hocha la tête en signe d'impatience.

« Montrons un peu de sens pratique », dit-il. « J'ai cru comprendre, selon vos dires, que trois étudiants utilisent cet escalier et passent couramment devant votre porte ? »

« Oui, c'est cela. »

« Et ils vont tous trois passer ce concours ? »

« Oui. »

« Avez-vous quelque raison de soupçonner plus particulièrement l'un d'eux ? »

Soames hésita.

---

7. **to look out on** : *avoir vue sur, donner sur.*

8. **let us be** : impératif, 1ʳᵉ pers. du plur. de **to be.**

9. **I understand you to say** : « *je comprends que vous dites* » ; noter la proposition infinitive dépendant de "I understand you".

10. **stair** : ici, *un escalier* ; s'exprime plus communément par le plur. **stairs** ; **stair** signifie aussi *une marche d'escalier* (= a step).

11. **to be in the habit of** + gérondif = **to be used to** + gérondif : *avoir l'habitude de.*

12. **one** : ce pron. indéfini est l'une des traductions possibles du pronom personnel français *on* qui peut aussi se traduire par **"we"**, **"you"**, **"they"**, **"people"**, **"somebody"**, **"someone"**, et enfin la forme passive.

"It is a very delicate question," said he. "One hardly[1] likes to throw suspicion where there are no proofs[2]."

"Let us hear the suspicions. I will look after the proofs."

"I will tell you, then, in a few words, the character of the three men who inhabit[3] these rooms. The lower of the three is Gilchrist[4], a fine scholar[5] and athlete ; plays in the Rugby[6] team and the cricket[7] team for the college, and got his Blue[8] for the hurdles and the long jump. He is a fine, manly fellow. His father was the notorious Sir Jabez Gilchrist, who ruined himself on the Turf[9]. My scholar has been left very poor, but he is hard-working and industrious. He will do well.

"The second floor is inhabited by Daulat Ras, the Indian. He is a quiet, inscrutable[10] fellow, as most of those Indians are. He is well up in his work[11], though his Greek is his weak subject. He is steady and methodical.

"The top floor belongs to Miles McLaren. He is a brilliant fellow when he chooses to work — one of the brightest intellects of the University ; but he is wayward, dissipated, and unprincipled. He was nearly expelled[12] over[13] a card scandal in his first year. He has been idling all this term, and he must look forward with dread to[14] the examination."

---

1. **one hardly likes to throw suspicion :** « *on n'aime guère formuler des soupçons* ».

2. **proofs :** *des preuves ;* ne pas confondre avec **proofs :** *des épreuves d'imprimerie,* cf. page 102, note 4.

3. **to inhabit**, to live in ; **an inhabitant :** *un habitant.*

4. **Gilchrist** ['gilkrist].

5. **a scholar :** *un étudiant ;* autre sens : *un érudit ; un savant (en sciences) :* a **scientist**.

6. **rugby :** *rugby football* (argot : **rugger**). Ce jeu a été conçu vers 1900 à la "public school" de Rugby (Warwickshire).

7. **cricket :** sport anglais très populaire pratiqué sur terrain gazonné avec des battes en bois, une balle et un guichet, par deux équipes de onze joueurs chacune.

8. **got his Blue :** à Oxford et Cambridge, les étudiants qui ont représenté l'Université dans les compétitions d'athlétisme ou d'aviron, ont le droit de porter une casquette ou un

« C'est une question bien délicate, » dit-il. « Ce n'est pas très facile de formuler des soupçons lorsqu'on ne peut apporter les preuves. »

« Voyons un peu les soupçons. Moi, je m'occuperai des preuves. »

« Je vais donc, en quelques mots, vous décrire le caractère de chacun des trois hommes qui habitent ces chambres. Au premier loge Gilchrist, excellent étudiant et grand sportif ; il fait partie de l'équipe de rugby et de l'équipe de cricket du Collège, et il est champion universitaire pour les courses de haies et le saut en longueur. C'est un garçon très bien, d'un caractère viril. Son père était le célèbre Sir Jabez Gilchrist, qui a perdu toute sa fortune aux courses, laissant son fils dans la misère ; mais cet étudiant est un gros travailleur, très appliqué, qui fera son chemin dans la vie.

« Au second habite Daulat Ras, l'Indien. C'est un individu très tranquille, impénétrable, comme le sont presque tous les Indiens. Il réussit fort bien dans ses études, bien que le grec reste sa matière faible. Il est régulier et méthodique.

« Le dernier étage est le domaine de Miles McLaren. C'est un brillant sujet quand il veut bien s'appliquer à son travail — l'une des plus brillantes intelligences de l'Université ; mais c'est un étudiant capricieux, débauché, et sans scrupules. Au cours de sa première année, il a failli être mis à la porte, à cause d'un scandale de jeu. Il a perdu son temps tout au long du trimestre et c'est avec appréhension qu'il doit voir approcher l'examen. »

---

foulard, bleu clair pour Cambridge, bleu foncé pour Oxford.
9. **on the Turf :** le *turf* est le terrain couvert d'herbe où se disputent les courses de chevaux.
10. **a quiet, inscrutable fellow,** deux adjectifs épithètes se rapportant au même nom sont liés en anglais par une virgule, en français par ''et'' : *a green, **quiet** landscape, un paysage calme et verdoyant.*
11. **well up in,** very good at, *qui réussit très bien dans.*
12. **he was nearly expelled :** « *il a presque été expulsé* ».
13. **over,** in connection with : *par suite de, pour une question de.*
14. **to look forward to :** cette expression traduit d'ordinaire l'attente impatiente d'un événement agréable ; ici l'auteur ajoute **with dread** *(avec crainte)* pour exprimer qu'il s'agit d'un événement redouté.

"Then it is he whom you suspect ?"

"I dare not go so far as that. But of the three he is perhaps the least unlikely[1]."

"Exactly. Now, Mr Soames, let us have a look at your servant, Bannister."

He was a little, white-faced, clean-shaven, grizzly[2] haired fellow of fifty. He was still suffering from this sudden disturbance of the quiet routine of his life. His plump face was twitching[3] with his nervousness, and his fingers could not keep still[4].

"We are investigating this unhappy business, Bannister," said his master.

"Yes, sir."

"I understand," said Holmes, "that you left your key in the door ?"

"Yes, sir."

"Was it not very extraordinary that you should[5] do this on the very day[6] when there were these papers inside ?"

"It was most unfortunate, sir. But I have occasionally[7] done the same thing at other times."

"When did you enter the room ?"

"It was about half-past four. That is Mr Soames's tea-time."

"How long[8] did you stay ?"

"When I saw that he was absent I withdrew at once."

"Did you look at these papers on the table ?"

"No, sir ; certainly not."

"How came you to leave[9] the key in the door ?"

---

1. **the least unlikely** : deux formes négatives qui s'annulent : *le moins invraisemblable* = *le plus vraisemblable* (des coupables).
2. **grizzly** : = greyish : *grisonnant ;* on dit plutôt "grizzled".
3. **to twitch** : *se contracter, avoir un tic nerveux.*
4. **still**, adj. = **motionless** : *tranquille ;* ne pas confondre avec still adv. : *encore.*
5. **you should**, auxiliaire du subj., s'emploie après des expressions impersonnelles marquant la nécessité (**it is necessary that**), ou la surprise (**it is extraordinary that**).
6. **the very day**, cf. page 120, note 1.

« C'est donc lui que vous soupçonnez ? »

« Je n'ose pas m'aventurer aussi loin. Mais des trois c'est lui qui pourrait le plus vraisemblablement avoir agi ainsi. »

« Parfait. Et maintenant, M. Soames, si nous en venions à votre domestique, Bannister. »

C'était un petit bonhomme de cinquante ans, pâle, rasé de près, aux cheveux grisonnants. Il se ressentait encore du brutal bouleversement du train-train régulier de sa vie. Son visage aux joues rebondies se contractait nerveusement et ses doigts n'étaient jamais immobiles.

« Nous faisons une enquête sur cette malheureuse affaire, Bannister, » lui dit son maître.

« Bien, Monsieur. »

« Je crois comprendre », dit Holmes, « que vous avez laissé votre clé sur la porte ? »

« Oui, Monsieur. »

« N'est-ce pas étrange que ce soit arrivé le jour même où ces documents étaient dans la pièce ? »

« C'est très regrettable, Monsieur. Mais il m'est arrivé occasionnellement d'agir de la même façon d'autres fois. »

« Quand êtes-vous entré dans la pièce ? »

« A quatre heures et demie environ. C'est l'heure où M. Soames prend son thé. »

« Combien de temps êtes-vous resté ? »

« Lorsque j'ai vu qu'il était sorti, je me suis retiré immédiatement. »

« Avez-vous regardé ces papiers sur le bureau ? »

« Non, Monsieur ; certainement pas. »

« Comment avez-vous bien pu oublier la clé dans la serrure ? »

---

7. **occasionally,** from time to time : *de temps en temps.* Occasionnel = "chance" : *des interlocuteurs occasionnels,* **chance interlocutors.**

8. **how long,** ... ? interrogation de durée : *"combien longtemps".*

9. **how came you to leave ? :** forme exceptionnelle de langue soutenue, où l'auxiliaire **"did"** n'est pas employé ; forme normale : **how did you come to leave ?** **"Come"** a ici le sens de **"to happen"** : **how did you happen to leave ?** *comment en êtes-vous venu à laisser...*

"I had the tea-tray in my hand. I thought I would come back [1] for the key. Then I forgot."

"Has the outer door a spring lock [2] ?"

"No, sir."

"Then it was open all the time ?"

"Yes, sir."

"Anyone in the room could get out ?"

"Yes, sir."

"When Mr Soames returned and called for you [3], you were very much disturbed ?"

"Yes, sir. Such a thing has never happened during the many years that I have been here. I nearly fainted, sir."

"So I understand. Where were you when you began to feel bad ?"

"Where was I, sir ? Why [4], here, near the door."

"That is singular, because you sat down in that chair over yonder [5] near the corner. Why did you pass [6] these other chairs ?"

"I don't know, sir. It didn't matter to [7] me where I sat."

"I really don't think he knew much about it, Mr Holmes. He was looking very bad — quite ghastly [8]."

"You stayed here when your master left ?"

"Only for a minute or so. Then I locked the door and went to my room."

"Whom do you suspect [9] ?"

---

1. **I thought I would come back** : would, forme passée de will, exprimant l'intention, la volonté arrêtée.

2. **spring lock** : « *serrure à ressort* », sans elle, le pêne ne revient pas en place automatiquement.

3. **to call for somebody** : *demander, appeler quelqu'un, passer prendre quelqu'un ;* I'll call for you at six : *je passerai vous prendre à 6 heures.*

4. **why,** exclamatif : *eh bien ! comment !* ▲ why, interrog. : *pourquoi ?*

5. **yonder** = **over there** : *là-bas,* adv. ; peut aussi être adj. : **yonder chair,** *la chaise là-bas* (langue soutenue ou poétique).

« Je tenais le plateau à thé dans les mains. J'ai pensé que je ne manquerais pas de revenir chercher la clé. Ensuite j'ai oublié. »

« La porte extérieure a-t-elle un bec de cane ? »

« Non, Monsieur »

« Dans ce cas elle est restée ouverte tout le temps ? »

« Oui, Monsieur. »

« N'importe qui pouvait sortir de la pièce ? »

« Oui, Monsieur. »

« Lorsque M. Soames est rentré et vous a appelé, vous étiez profondément bouleversé ? »

« Oui, Monsieur. Pendant toutes les années durant lesquelles j'ai servi ici, il n'est jamais arrivé rien de pareil. Je me suis presque trouvé mal, Monsieur. »

« C'est ce que l'on m'a dit. Où étiez-vous lorsque vous avez commencé à ressentir ce malaise ? »

« Où j'étais, Monsieur ? Eh bien ! là, près de la porte. »

« Voici qui est bizarre, parce que vous vous êtes assis dans ce fauteuil, là-bas dans le coin. Pourquoi êtes-vous passé devant ces autres sièges ? »

« Je n'en sais rien, Monsieur. Je n'ai guère attaché d'importance au siège que j'ai pris. »

« Je ne pense pas vraiment qu'il s'en soit rendu compte, M. Holmes. Il avait une mine affreuse, d'une pâleur mortelle. »

« Vous êtes resté ici lorsque votre maître est reparti ? »

« A peine une minute ou deux. J'ai ensuite fermé la porte à clé et me suis retiré dans ma chambre. »

« Sur qui portent vos soupçons ? »

---

6. **why did you pass... ?** sous-entendu "without sitting in one of them" : *pourquoi êtes-vous passé devant ces fauteuils sans vous asseoir sur l'un d'eux.*

7. **it didn't matter to me** = I didn't care where : *je me souciais peu de savoir où m'asseoir.*

8. **ghastly :** adj. de **ghost**, *fantôme.*

9. **whom do you suspect ? :** en anglais contemporain le pronom relatif objet **whom** est normalement remplacé par **who**, sauf après une préposition. Ex. : **I wonder to whom he is talking.**

"Oh, I would not venture to say, sir. I don't believe there is any gentleman [1] in this University who is capable of [2] profiting by [3] such an action. No, sir, I'll not believe it."

"Thank you ; that will do [4]," said Holmes. "Oh, one more word. You have not mentioned to any of the three gentlemen whom you attend [5] that anything is amiss [6] ?"

"No, sir ; not a word."

"You haven't seen any of them ?"

"No, sir."

"Very good. Now, Mr Soames, we will take a walk in the quadrangle [7], if you please."

Three yellow squares of light shone above us in the gathering gloom [8].

"Your three birds are all in their nests," said Holmes, looking up. "Halloa ! What's that ? One of them seems restless enough."

It was the Indian, whose dark silhouette appeared suddenly upon the blind. He was pacing swiftly up and down [9] his room.

"I should like to have a peep [10] at each [11] of them," said Holmes. "Is it possible ?"

"No difficulty in the world," Soames answered. "This set of rooms is quite [12] the oldest in the college, and it is not unusual for [13] visitors to go over them. Come along, and I will personally conduct you."

---

1. **gentleman** : forme polie, un peu ancienne, pour parler d'un homme quelconque ; ici marque le respect que le domestique éprouve envers tous ces étudiants de bonnes familles.
2. **capable of** + gérondif = **able to** + inf. : *capable de.*
3. **profiting by** : ce verbe se construit avec la prép. **by** ou la prép. **from** ; to profite ['prɔfɪt] étant accentué sur la 1re syllabe, le t final ne redouble pas.
4. **that will do** : that's enough : *cela suffit.*
5. **to attend somebody** : *être au service de,* dans ce sens ce verbe peut se construire aussi avec la prép. **on** : to attend on, ou upon, somebody.
6. **amiss**, rarement employé = **wrong**, *qui ne va pas.*
7. **quadrangle**, ou **quad** : espace découvert, carré, entouré de bâtiments dans l'une des anciennes universités anglaises.

« Oh, je ne me hasarderais pas à le dire, Monsieur. Je ne crois pas qu'il y ait un seul étudiant de cette Université capable de tirer avantage d'une telle action. Non, Monsieur, rien ne me le fera croire. »

« Je vous remercie ; cela suffit, » dit Holmes. « Oh, encore un détail. Vous n'avez informé aucun des trois candidats au service desquels vous êtes qu'un incident désagréable s'est produit ? »

« Non, Monsieur ; je n'en ai pas soufflé mot. »

« Vous n'avez vu aucun des trois ? »

« Non, Monsieur. »

« Très bien. Et maintenant, M. Soames, nous allons nous promener dans la cour du Collège, si vous n'y voyez pas d'inconvénient. »

Trois carrés de lumière jaune brillaient au-dessus de nous dans l'obscurité croissante.

« Vos trois oiseaux sont au nid, » dit Holmes, en levant la tête. « Tiens ! que se passe-t-il ? L'un d'eux semble fort agité. »

C'était l'Indien, dont la silhouette sombre se détachait soudain sur le store. Il arpentait sa chambre de long en large d'un pas rapide.

« J'aimerais jeter un coup d'œil sur chacun d'entre eux », dit Holmes. « Est-ce possible ? »

« Cela ne pose aucun problème, » répondit Soames. Cet ensemble de logements est, de loin, le plus ancien du Collège, et il est assez courant que des visiteurs s'y intéressent. Venez, je vais vous y conduire moi-même. »

---

8. **gloom,** poétique pour **darkness** : *obscurité, ténèbres.*

9. **up and down** = to and fro : *de long en large.*

10. **to have a peep at = to take a peep = to peep at :** exprime un coup d'œil rapide (pour ne pas être indiscret ou importun).

11. **each of them : each** s'emploie lorsqu'on considère chaque chose ou personne séparément, **every** lorsqu'on considère l'ensemble de ces choses ou personnes.

12. **quite :** *tout à fait, réellement ;* pour insister sur l'adj. qui suit.

13. **unusual for visitors to go :** la prép. **for** peut introduire une prop. compl. d'un adj. (**unusual**) précédé de **it is** ; une autre tournure serait (avec le subjonctif), **it is not unusual that visitors should go,** *il n'est pas est rare que des visiteurs s'y rendent.*

"No names[1], please !" said Holmes, as we knocked at Gilchrist's door. A tall, flaxen[2]-haired, slim young fellow opened it, and made us welcome when he understood our errand[3]. There were some really curious pieces of medieval domestic architecture within. Holmes was so charmed with one of them that he insisted on drawing[4] it on his notebook, broke his pencil, had to borrow one from our host, and finally borrowed a knife to sharpen his own. The same curious accident happened to him in the rooms of the Indian — a silent little hook-nosed[5] fellow, who eyed[6] us askance[7] and was obviously glad when Holmes's architectural studies had come to an end. I could not see that in either[8] case Holmes had come upon the clue[9] for which he was searching. Only at the third[10] did our visit prove abortive[11]. The outer door would not[12] open to our knock, and nothing more substantial than a torrent of bad language came from behind it. "I don't care who you are. You can go to blazes[13] ! roared the angry voice. "Tomorrow's the exam[14], and I won't be drawn[15] by anyone."

"A rude[16] fellow," said our guide, flushing with anger as we withdrew down the stair. "Of course, he did not realize that it was I who was knocking, but none the less[17] his conduct was very uncourteous, and, indeed, under the circumstances, rather suspicious."

---

1. **no names** : Holmes ne veut pas être présenté aux étudiants.
2. **flaxen** : adj. *couleur de lin,* de **flax,** *le lin.*
3. **errand** : *course, visite ;* **to run one's errands :** *faire ses courses, ses commissions.*
4. **insisted on :** + gérondif : *tenir absolument à* + infinitif.
5. **hook-nosed :** adj. composé : nom + faux part. passé ; le premier élément exprime la forme ou la qualité de ce que représente le deuxième (partie du corps) ; **a hook :** *un crochet.*
6. **to eye :** *observer, surveiller, lorgner.*
7. **askance :** adv., *de travers* (avec une idée péjorative de méfiance).
8. **in either case :** **either** (adj. indéfini) : *l'un ou l'autre,* s'emploie pour différencier deux éléments ; **neither :** *ni l'un ni l'autre ;* **both :** *tous les deux.*
9. **clue :** cf. page 99, note 12.

« Je vous en prie, pas de présentations ! » dit Holmes, tandis que nous frappions à la porte de Gilchrist. Un grand jeune homme mince aux cheveux filasse l'ouvrit et nous fit bon accueil lorsqu'il sut la raison de notre visite. Il y avait là quelques échantillons vraiment surprenants d'architecture domestique médiévale. Holmes fut si captivé par l'un d'entre eux qu'il voulut absolument le dessiner dans son carnet, cassa son crayon, dut en emprunter un à notre hôte, et pour finir demanda un canif pour tailler le sien. Le même incident singulier se répéta dans l'appartement de l'Indien — petit bonhomme silencieux, au nez crochu, qui nous regarda de travers et fut, de toute évidence, soulagé lorsque les recherches architecturales de Holmes eurent pris fin. Je vis bien que dans un cas comme dans l'autre, Holmes n'avait pas trouvé l'indice qu'il recherchait. C'est seulement à notre troisième visite que nous échouâmes totalement. On refusa d'ouvrir la porte extérieure lorsque nous y frappâmes, et rien de plus substantiel qu'un torrent de langage malhonnête ne parvint à nos oreilles. « Je me moque de savoir qui vous êtes. Vous pouvez aller au diable ! » rugit une voix agressive. « Le concours, c'est demain, et je ne veux être dérangé par qui que ce soit. »

« Grossier personnage », dit notre guide, rouge de colère tandis que nous redescendions l'escalier. « Il est évident qu'il ne s'est pas rendu compte que c'était moi qui frappais à sa porte, mais néanmoins sa conduite a été fort discourtoise, et, vraiment, étant donné les circonstances, plutôt suspecte. »

---

10. **at the third** : sous-entendu **case**, et mieux **visit**.

11. **abortive** : adj. de **to abort** : *faire une fausse couche,* d'où : *sans succès, raté,* etc. ; **abortion** : *fausse couche.*

12. **would not** : sens fort qui exprime le refus absolu.

13. **go to blazes** : **blaze** : *feu intense, feu de l'enfer ;* = **go to Hell !** : *allez au diable.*

14. **to morrow's the exam.** '**s** = **is** ; tomorrow is (the day of) the exam, *demain c'est l'examen.*

15. **drawn**, part. passé de **to draw, drew, drawn,** *se laisser entraîner, ou déranger.*

16. ▲ **rude** : *impoli, grossier, mal élevé ;* le français rude se traduit par **rough** ou **hard**.

17. **none the less,** peut s'écrire aussi en un seul mot : **nonetheless = nevertheless** : *néanmoins.*

Holmes's response [1] was a curious one.

"Can you tell me his exact height [2] ?" he asked.

"Really, Mr Holmes, I cannot undertake [3] to say. He is taller than the Indian, not so tall as [4] Gilchrist. I suppose five foot six would be about it."

"That is very important," said Holmes. "And now, Mr Soames, I wish you good night."

Our guide cried aloud in his astonishment and dismay [5]. "Good gracious, Mr Holmes, you are surely not going to leave me in this abrupt [6] fashion ! You don't seem to realize the position. Tomorrow is the examination. I must take some definite [7] action tonight. I cannot allow the examination to be held if one of the papers has been tampered with [8]. The situation must be faced."

"You must leave it as it is. I shall drop round [9] early tomorrow morning and chat the matter over [10]. It is possible that I may be in a position [11] then to indicate some course of action. Meanwhile you change nothing — nothing at all."

"Very good, Mr Holmes."

"You can be perfectly easy in your mind [12]. We shall certainly find some way out of your difficulties. I will take the black clay with me, also the pencil cuttings. Goodbye."

---

1. **response** : 1) n. litt. et rare pour **answer**, n., 2) (ici) *réaction ;* to respond, *répondre.*

2. **height** : n., *la hauteur ;* de **high**, adj., *haut.*

3. **to undertake** : sens général : *entreprendre ;* ici : *prendre sur soi, promettre, s'engager à.*

4. le comparatif d'égalité s'exprime par **as** + adj. + **as.** She is **as** pretty **as** her cousin, *elle est aussi jolie que sa cousine.* A la forme négative, en anglais classique, la forme d'égalité était (ici) : **not so** + adj. + **as...**, mais en anglais moderne on admet la tournure : **not as** + adj. + **as.**

5. **dismay** : sentiment de crainte mêlée de *désespoir.*

6. **abrupt** : *soudain et inattendu.*

7. **definite** ['definit] : *net, clair, certain ;* ne pas confondre avec **definitive** [di'finitiv] : *définitif, décisif.*

8. **to tamper with** : *toucher à, fouiller dans* (sans permission).

9. **drop round** = **call on** : *rendre visite à, passer voir.*

10. **to chat the matter over** : *discuter du problème* (par un bavardage amical).

La réaction de Holmes fut plutôt inattendue.

« Pouvez-vous me dire combien il mesure exactement ? » demanda-t-il.

« Vraiment, M. Holmes, je ne saurais le dire avec exactitude. Il est plus grand que l'Indien, mais moins que Gilchrist. Je dirais environ un mètre soixante-dix ; ce serait une approximation acceptable. »

« Ceci est très important », dit Holmes. « Et maintenant, M. Soames, je vous souhaite le bonsoir. »

En proie à la stupéfaction et au désarroi, notre guide poussa de grands cris. « Bonté divine ! M. Holmes, vous n'allez pas m'abandonner avec cette précipitation ! Vous ne semblez pas vous rendre compte de ma position. L'examen c'est pour demain. Je dois prendre des mesures précises ce soir. Je ne peux laisser ce concours avoir lieu si l'on a touché à l'un des sujets. Je dois faire face à la situation. »

« Vous n'avez qu'à laisser les choses comme elles sont. Je viendrai vous rendre visite de bonne heure demain matin pour discuter du problème. Il est fort possible qu'à ce moment-là, je sois en mesure de vous conseiller une ligne d'action particulière. En attendant, ne changez rien — absolument rien. »

« Très bien, M. Holmes. »

« Vous pouvez dormir sur vos deux oreilles. Nous trouverons sûrement une solution à vos problèmes. J'emporte l'argile noire ainsi que les bouts de crayon. Au revoir. »

---

11. **to be in a position to indicate** = I may be able to indicate ; Holmes se montre réservé quant à son succès en répétant les formes marquant l'incertitude : **it is possible that I may...**

12. « *Vous pouvez être d'un esprit parfaitement tranquille.* »

When we were out in the darkness of the quadrangle we again looked up at the windows. The Indian still paced his room. The others [1] were invisible.

"Well, Watson, what do you think of it ?" Holmes asked as we came out into the main street. "Quite a little parlour game [2] — sort of three-card trick [3], is it not [4] ? There are your three men. It must be one of them. You take your choice. Which is yours ?"

"The foul-mouthed [5] fellow at the top. He is the one with the worst record. And yet that Indian was a sly fellow also. Why should he be pacing [6] his room all the time ?"

"There is nothing in that. Many men do it when they are trying to learn anything by heart."

"He looked at us in a queer way."

"So would you [7] if a flock [8] of strangers [9] came in on you [10] when you were preparing for an examination next day, and every moment was of value. No, I see nothing in that. Pencils, too, and knives [11] — all was satisfactory. But that fellow *does* [12] puzzle me."

"Who ?"

"Why, Bannister, the servant. What's his game in the matter ?"

"He impressed me as being a perfectly honest man."

---

1. **the others :** the other students.
2. **a parlour game.** parlour : mot victorien signifiant : *salon.*
3. **a three-card trick :** three-card employé comme adj. par conséquent inv. sing. ; **trick :** *tour d'adresse* accompli pour amuser, intéresser un auditoire.
4. **quite a little parlour game..., is it not ? :** forme correspondant à la locution adverbiale française *n'est-ce pas* avec, ici, deux particularités ; le verbe *it is* amenant le « tag » est sous-entendu dans la phrase principale, et la forme **is it not** (au lieu de celle attendue **isn't it**) montre que Holmes emploie une langue soutenue.
5. **foul-mouthed :** adj. composé cf. page 130, note 5 ; **foul,** *sale, impur, à la bouche sale* (à cause du langage qu'il emploie).
6. **why should he be pacing ? :** should introduit ici une nuance de soupçon de la part de Watson ; *pourquoi devrait-il arpenter ?*

Lorsque nous nous retrouvâmes dans l'obscurité de la cour, nous levâmes de nouveau les yeux vers les fenêtres. L'Indien n'avait pas cessé d'arpenter sa chambre. Les autres restaient invisibles.

« Eh bien ! Watson, que pensez-vous de tout cela ? » me demanda Holmes alors que nous débouchions dans la grand-rue. « Un vrai petit jeu de société, — une sorte de tour à trois cartes, hein ! Vos trois hommes sont là. Le coupable est forcément l'un d'eux. Faites votre choix. Quel est le vôtre ? »

« L'individu mal embouché du troisième. C'est lui qui a le dossier le plus chargé. Et pourtant cet Indien paraît bien fourbe également. Pourquoi tourne-t-il sans arrêt dans sa chambre comme un lion en cage ? »

« Cela ne veut rien dire. Bien des gens le font lorsqu'ils essayent d'apprendre quelque chose par cœur. »

« Il nous a regardés d'une drôle de manière. »

« Vous en feriez autant si une bande d'inconnus vous tombait dessus la veille d'un examen que vous préparez, quand chaque minute compte. Non, je ne vois rien d'anormal à cela. Pour ce qui est des crayons et canifs — tout était correct. Mais il y a un individu qui m'intrigue vraiment. »

« Qui ? »

« Ma foi, c'est Bannister, le domestique. Quel jeu joue-t-il dans cette affaire ? »

« Il m'a fait l'effet d'être parfaitement honnête. »

---

7. **so would you :** forme d'insistance ; **so** étant placé en tête de phrase, nous avons l'inversion du verbe et du sujet = **you would look so if.**

8. **flock :** *troupeau ;* les visiteurs sont comparés à des animaux *(moutons).*

9. **strangers :** *des inconnus ;* ne pas confondre avec **foreigners :** *des étrangers,* i.e. des gens appartenant à une autre nation.

10. **came in on you : came in :** *entraient ;* **on you :** sans que vous vous y attendiez.

11. **knives,** plur. irrég. de **knife ;** certains noms terminés par **f, fe, eaf** ou **ife** font leur pluriel en **ves ; hoof** *(sabot),* **scarf** *(foulard),* **wharf** *(quai)* ont un double pluriel : **hoofs** et **hooves.**

12. **that fellow does puzzle me : does** introduit une double insistance : a) en étant employé à la forme affirmative, b) en étant écrit en italique dans le texte.

"So he did me [1]. That's the puzzling part. Why should [2] a perfectly honest man — well, well, here's a large stationer's [3]. We shall begin our researches here."

There were only four stationers of any consequence in the town, and at each Holmes produced his pencil chips and bid high [4] for a duplicate. All were agreed [5] that one could be ordered, but that it was not a usual size of pencil, and that it was seldom kept in stock. My friend did not appear to be depressed by his failure, but shrugged his shoulders in half-humorous resignation.

"No good, my dear Watson. This, the best and only final clue, has run to nothing [6]. But, indeed, I have little doubt that we can build up a sufficient case [7] without it. By Jove ! my dear fellow, it is nearly nine, and the landlady babbled of green peas at seven-thirty. What with [8] your eternal tobacco, Watson, and your irregularity at meals, I expect that you will get notice [9] to quit, and that I shall share your downfall — not, however, before we have solved the problem of the nervous tutor, the careless servant, and the three enterprising students."

Holmes made not further [10] allusion to the matter that day, though he sat lost in thought for a long time after our belated [11] dinner. At eight in the morning he came into my room just as I finished my toilet [12].

---

1. **so he did me** = did impress me so ; forme d'insistance au passé ; ici so = also.
2. **why should** : should marque l'obligation morale, mais comme la phrase n'est pas terminée, l'infinitif n'est pas exprimé.
3. **a stationer's** : cas possessif, **shop** est sous-entendu.
4. **bid high** (to bid, bade ou bid, bidden ou bid) : ordonner ; « demander avec insistance ».
5. **all were agreed,** forme passive = **all agreed that,** tous furent d'accord que.
6. **has run to nothing** : « n'a abouti à rien ».
7. **to build up a case** : « construire, échafauder la solution d'une affaire ».
8. **what with...** : sert à introduire la succession des causes (le tabac, les repas) qui entraîneront un incident fâcheux (le renvoi des pensionnaires), sur le mode ironique.

136

« A moi aussi. C'est ce qui m'intrigue. Pourquoi un homme parfaitement honnête devrait-il... Tiens, voici une grande papeterie. C'est par là que nous allons commencer nos recherches. »

Dans cette ville il n'y avait que quatre papeteries de quelque importance ; dans chacune Holmes exhiba les rognures du crayon et insista pour en obtenir un semblable. Tous les papetiers furent unanimes à offrir de lui en commander un, car, étant donné que ce n'était pas un crayon de taille courante, ils en avaient rarement en stock. Cet échec ne parut pas décourager mon ami, qui se contenta de hausser les épaules en signe de résignation amusée.

« Inutile d'insister, mon cher Watson, voilà que notre meilleur et ultime indice n'a rien donné. Mais à vrai dire, je suis à peu près sûr que nous pouvons, sans cette aide, dénouer cette affaire de manière satisfaisante. Ciel ! mon cher ami, il est presque neuf heures, et notre logeuse a vaguement parlé de petits pois servis à sept heures et demie. Avec votre sempiternel tabac, Watson, et vos repas pris à n'importe quelle heure, je m'attends à ce que l'on vous enjoigne de vider les lieux, et que je sois, pour ma part, condamné à partager votre disgrâce... mais seulement, toutefois, après que nous aurons résolu le problème du directeur d'études énervé, du domestique négligent et des trois étudiants entreprenants. »

Aucune autre allusion à l'affaire ne fut faite par Holmes ce jour-là ; et pourtant il resta longtemps perdu dans ses pensées après notre dîner tardif. A huit heures du matin il entra dans ma chambre au moment même où je finissais de faire ma toilette.

---

9. **you will get notice to quit :** les domestiques ou les pensionnaires qui ne donnent pas satisfaction à leur patron ou logeur, *reçoivent un avis* (notice) *d'avoir à partir* (to quit) ; to get one's notice = *être renvoyé.*
10. **further :** comp. de supériorité irrég. de **far** ; autre forme : **farther** (employée plutôt pour les distances), alors que **further** s'emploie dans tous les cas ; **further** peut signifier : *supplémentaire, complémentaire :* **further details, further information** : *des renseignements complémentaires.*
11. **belated = delayed :** *retardé* (au-delà de l'heure fixée).
12. **toilet** (litt.) : *le fait de se laver et de s'habiller ;* en anglais moderne on dirait : **(just as I finished) washing and dressing.**

"Well, Watson," said he, "it is time we went down [1] to St Luke's. Can you do without breakfast [2] ?"

"Certainly."

"Soames will be in a dreadful fidget [3] until we are able to tell him something positive."

"Have you anything positive to tell him ?"

"I think so."

"You have formed a conclusion ?"

"Yes, my dear Watson ; I have solved the mystery."

"But what fresh evidence [4] could you have got ?"

"Aha ! It is not for nothing that I have turned myself out of bed at the untimely [5] hour of six. I have put in [6] two hours' hard work [7] and covered at least five miles, with something to show for it [8]. Look at that !"

He held out his hand. On the palm were three little pyramids of black, doughy clay.

"Why, Holmes, you had only two yesterday !"

"And one more this morning. It is a fair [9] argument, that wherever [10] No. 3 came from is also the source of Nos. 1 and 2. Eh, Watson ? Well, come along and put friend Soames out of his pain."

The unfortunate tutor was certainly in a state of pitiable agitation when we found him in his chambers. In a few hours the examination would commence [11] and he was still in the dilemma between making the facts public and allowing the culprit [12] to compete [13] for the valuable scholarship. He could hardly stand still, so great was his mental agitation, and he ran towards Holmes with two eager hands outstretched.

---

1. **we went down** = we went away, along.
2. **to do without breakfast :** « *faire sans petit déjeuner* ».
3. **to be in a... fidget :** « *être dans un état d'agitation* ».
4. **evidence :** cf. page 108, note 7.
5. **untimely :** *qui arrive trop tôt, indu, prématuré* ; **untimely death :** *mort prématurée.*
6. **to put in some work :** *accomplir, fournir un certain travail.*
7. **two hours' hard work :** cas possessif des expressions de durée.
8. **with something to show for it :** « *avec quelque chose à montrer comme résultat de ce travail* ».
9. **fair argument.** fair : *sans malhonnêteté ni injustice,* i.e. *équitable, honnête.*

« Eh bien ! Watson, il est temps de partir pour St Luke. Pouvez-vous vous passer de petit déjeuner ? »

« Bien sûr. »

« Soames va être terriblement nerveux jusqu'à ce que nous puissions lui annoncer quelque résultat positif. »

« Avez-vous quelque chose de positif à lui faire savoir ? »

« Je crois que oui. »

« En êtes-vous venu à une conclusion ? »

« Oui, mon cher Watson, j'ai éclairci le mystère. »

« Mais quelles preuves nouvelles avez-vous pu obtenir ? »

« Oh ! ce n'est pas pour rien que je suis sorti du lit à l'heure indue de six heures du matin. J'ai travaillé dur pendant deux heures et parcouru au moins cinq kilomètres, mais au moins ma peine a été récompensée. Regardez un peu cela ! »

Il tendit la main, et dans la paume de celle-ci se trouvaient trois petites pyramides d'argile noire et pâteuse.

« Tiens, Holmes, vous n'en aviez que deux hier ! »

« Et une de plus ce matin. Il est juste d'avancer que la provenance du n° 3 est aussi celle des n°s 1 et 2. N'est-ce pas, Watson ? Eh bien, allons mettre fin aux tourments de l'ami Soames. »

L'infortuné directeur d'études était vraiment dans un pitoyable état d'agitation quand nous le trouvâmes chez lui. Quelques heures plus tard, l'examen allait commencer et il était toujours confronté à l'alternative de révéler les faits publiquement ou de permettre au coupable de concourir pour cette bourse substantielle. Il pouvait à peine rester en place, tant était vive l'agitation de son esprit, et il se précipita vers Holmes,-les deux mains impatiemment tendues.

---

10. **wherever,** conj. : *n'importe où, partout où.*

11. **to commence, to begin** : *commencer* (en style soutenu).

12. **the culprit** : n., l'idée de culpabilité est le plus souvent exprimée par l'adj. **guilty** *(coupable),* sous la forme de : **the guilty one,** *le coupable.*

13. **to compete for the scholarscip** : *essayer d'obtenir* la bourse en passant un concours ; *un concours :* a **competitive examination.**

"Thank Heaven [1] that you have come ! I feared that you had given it up in despair. What am I to do ? Shall [2] the examination proceed [3] ?"

"Yes ; let it proceed by all means."

"But this rascal — ?"

"He shall not compete."

"You know him ?"

"I think so. If this matter is not to [4] become public we must give ourselves [5] certain powers, and resolve ourselves into [6] a small private court martial. You there, if you please, Soames ! Watson, you here ! I'll [7] take the armchair in the middle. I think that we are now sufficiently imposing to strike terror [8] into a guilty breast. Kindly [9] ring the bell !"

Bannister entered, and shrank back [10] in evident surprise and fear at our judicial [11] appearance.

"You will kindly close the door," said Holmes. "Now, Bannister, will you please tell us the truth about yesterday's incident ?"

The man turned white to the roots of his hair.

"I have told you everything, sir."

"Nothing to add ?"

"Nothing at all, sir."

"Well, then, I must make some suggestions to you. When you sat down on that chair yesterday, did you do so [12] in order to conceal [13] some object which would have shown who had been in the room ?"

---

1. **Thank Heaven** = Thank God, Thank Goodness : *Dieu merci ! Que Dieu soit loué !.*

2. **shall.** shall à la 3e pers. du sing. est une forme d'insistance : *l'examen aura lieu envers et contre tout.*

3. **to proceed.** to begin and take place : *avoir lieu ;* to **proceed with** : *continuer ;* **proceed with the story,** *continuez de raconter l'histoire.*

4. **is not to become :** to be to exprime ici la nécessité absolue.

5. **ourselves :** pron. réfléchi, Ier pers. du plur.

6. **resolve into :** « *nous changer en ».*

7. **I'll** = I shall ou I will.

8. **to strike terror into :** *provoquer, créer une condition de terreur jusque dans.*

9. **kindly ring the bell :** cf. page 118, note 1.

« Dieu soit loué ! Enfin vous voilà ! Je craignais que vous ayez abandonné par découragement. Que dois-je faire ? L'examen commencera-t-il malgré tout ?

« Et comment ! Il doit avoir lieu à tout prix ! »

« Mais ce bandit… ? »

« Lui ne concourra pas. »

« Vous savez qui c'est ? »

« Je crois que oui. Si cette affaire ne doit pas être ébruitée, il faut que nous nous dotions de certains pouvoirs, et pour cela nous constituer en une sorte de petite cour martiale de caractère privé. Vous, Soames, veuillez vous asseoir ici ! et Watson, là ! Je vais prendre le fauteuil au milieu. Je crois que maintenant nous en imposons assez pour frapper de terreur le cœur d'un coupable. Veuillez sonner ! »

Bannister entra et eut un mouvement de recul, de toute évidence, surpris et effrayé à la vue de notre assemblée de juges.

« Veuillez fermer la porte, » dit Holmes. « Et maintenant, Bannister, soyez assez gentil pour nous dire la vérité quant à l'incident d'hier. »

L'homme blêmit jusqu'à la racine des cheveux.

« Je vous ai tout dit, Monsieur. »

« Rien à ajouter ? »

« Absolument rien, Monsieur. »

« Eh bien, alors, c'est moi qui vais vous faire quelques suggestions. Lorsque vous vous êtes assis sur ce fauteuil hier, ne l'avez-vous pas fait afin de cacher quelque objet qui aurait trahi la personne qui avait pénétré dans la pièce ? »

---

10. **shrank back** (to shrink, shrank, shrunk) : *reculer, se retirer ;* **back** renforce l'idée de recul déjà contenue dans le verbe. Premier sens de **to shrink** : *rétrécir* (étoffe).

11. **judicial** : *judiciaire, relatif à la justice.*

12. **did you do so** : **so** reprend le verbe principal ; **did you sit down.**

13. **to conceal** : to hide, hid, hidden, *dissimuler, cacher.*

Bannister's face was ghastly.

"No, sir ; certainly not."

"It is only a suggestion," said Holmes suavely[1]. "I frankly admit that I am unable to prove it. But it seems probable enough, since the moment[2] that[3] Mr Soames's back was turned you released[4] the man who was hiding in that bedroom."

Bannister licked his dry lips.

"There was no man, sir."

"Ah, that's a pity, Bannister. Up to now you may have spoken the truth, but now I know that you have lied[5]."

The man's face set in sullen[6] defiance.

"There was no man, sir."

"Come, come[7], Bannister."

"No, sir ; there was no one."

"In that case you can give us no further information. Would you please remain in the room ? Stand over there near the bedroom door. Now, Soames, I am going to ask[8] you to have the great kindness to go up to the room of young Gilchrist, and to ask him to step down into yours."

An instant later the tutor returned, bringing with him the student. He was a fine figure of a man[9], tall, lithe[10], an agile, with a springy step[11] and a pleasant, open face. His troubled blue eyes glanced at each of us, and finally rested with an expression of blank[12] dismay upon Bannister in the farther corner[13].

---

1. **suavely,** adv. de l'adj. **suave** : *doucereux, d'une douceur affectée, hypocrite.*
2. **since the moment :** since est ici prép. de temps : *depuis le moment ;* since peut-être aussi adv. et conj. de temps : *depuis que ;* ne pas confondre avec **since** conj. causale : *puisque, étant donné que, vu que.*
3. **that** = **when** : *où* (temps).
4. **to release** [ri'li:s] = **to set free** : *libérer.*
5. **lied :** prét. de **to lie** (régulier) *mentir.*
6. **sullen :** qui manifeste silencieusement le manque d'entrain, de satisfaction.
7. **come, come :** interjection, pour donner un encouragement, et mettre l'interlocuteur en garde.
8. **I am going to :** exprime le futur immédiat.

Le visage de Bannister prit une pâleur mortelle.

« Non, Monsieur, certainement pas. »

« Ce n'est qu'une suggestion, » dit Holmes d'un ton patelin. « Pour être franc, je reconnais que je ne suis pas à même de le prouver. Mais cela paraît assez probable, étant donné que, au moment même où M. Soames tourna les talons, vous avez libéré l'homme qui se cachait dans cette chambre à coucher. »

Bannister passa la langue sur ses lèvres desséchées.

« Il n'y avait personne, Monsieur. »

« Ah, comme c'est dommage, Bannister. Jusqu'à présent vous avez peut-être dit la vérité, mais maintenant, je sais que vous avez menti. »

Le visage du domestique se figea dans une expression de défi et de mécontentement.

« Il n'y avait personne, Monsieur. »

« Allons, voyons, Bannister. »

« Non, Monsieur ; il n'y avait personne. »

« S'il en est ainsi, vous ne pouvez pas nous donner d'autres renseignements. Voulez-vous, s'il vous plaît, rester dans le bureau ? Restez debout là, près de la porte de la chambre. Et maintenant, Soames, je vais vous demander d'avoir l'obligeance de monter chez le jeune Gilchrist et de l'inviter à descendre chez vous. »

Un instant après le directeur d'études était de retour accompagné de l'étudiant. C'était un beau garçon, grand, souple et leste, à la démarche élastique, au visage ouvert et agréable. De ses yeux bleus, il lança un regard inquiet à chacun de nous, pour les fixer enfin avec une expression de désarroi et d'étonnement sur Bannister là-bas dans son coin.

---

9. **a fine figure of a man** : cette tournure s'emploie pour séparer deux noms dont le 1ᵉʳ décrit le second = **a man with a fine figure** (*un homme de belle allure*).

10. **lithe** [laið] : *qui peut se déplacer, se baisser avec aisance.*

11. **with a springy step** : C. Doyle accumule dans cette description les détails montrant les qualités sportives du jeune homme, si sympathique qu'on ne saurait le soupçonner.

12. **blank** : 1) *vide :* **a blank page,** *une page blanche* ; 2) *sans expression ; ébahi, ahuri :* **a blank face.**

13. « *Bannister dans le coin le plus éloigné.* »

"Just close the door", said Holmes, Mr Gilchrist, we are all quite alone here, and no one need ever know [1] one word of what passes between us. We can be perfectly frank with each other [2]. We want to know, Mr Gilchrist, how you, an [3] honourable man, ever came to commit such an action as that [4] of yesterday ?"

The unfortunate young man staggered back [5], and cast a look full of horror and reproach at Bannister.

"No, no, Mr Gilchrist, sir [6], I never said a word — never one word !" cried the servant.

"No, but you have now [7], said Holmes. "Now, sir, you must see that after Bannister's words your position is hopeless, and that your only chance lies in a frank confession."

For a moment Gilchrist, with upraised hand, tried to control his writhing [8] features. The next he had thrown himself on his knees beside [9] the table, and, burying his face in his hands, he burst into a storm of passionate sobbing [10].

"Come, come," said Holmes kindly ; "it is human to err, and at least no one can accuse you of being a callous [11] criminal. Perhaps it would be easier for you if I were to tell [12] Mr Soames what occurred, and you can check [13] me where I am wrong. Shall I do so ? Well, well, don't trouble to answer. Listen, and see that I do you no injustice.

---

1. **no one need ever know** : need ; ici le défectif, dans le sens de **must,** avec les mêmes particularités grammaticales.
2. **each other** : pron. réciproque, synonyme de **one another.** Autrefois **each other** s'employait uniquement pour deux personnes. Cette règle n'est plus respectée.
3. **an honourable man :** un nom concret, sing. placé en apposition doit être précédé de l'art. indéfini. La lettre "h" n'étant pas aspirée dans le mot **honour** et ses dérivés, l'article indéf. est **an** ; cette règle s'applique aussi à "hour" (heure), **heir** (héritier) et leurs dérivés.
4. **that of yesterday :** pron. démonstratif = **the one of yesterday,** ou **yesterday's** (cas possessif de temps).
5. **to stagger back :** la postposition précise le mouvement, le verbe le décrit : reculer en vacillant.
6. **sir :** expression marquant la considération envers un supérieur.

« Fermez la porte s'il vous plaît », dit Holmes. « M. Gilchrist, nous sommes absolument seuls ici et jamais personne n'aura à savoir un seul mot de ce qui va se dire entre nous. Nous pouvons nous parler en toute franchise. Nous désirons savoir, M. Gilchrist, comment vous, qui êtes une personne digne d'estime, en êtes venu à perpétrer un forfait comme celui commis hier ? »

Le malheureux jeune homme recula en titubant et jeta sur Bannister un regard chargé d'horreur et de reproche.

« Non, non, M. Gilchrist, non, Monsieur, je n'ai pas dit un mot, pas un seul mot », s'écria le domestique.

« Non, mais c'est maintenant que vous avez parlé », dit Holmes. « Maintenant, Monsieur, vous devez vous rendre compte qu'après l'intervention de Bannister votre situation est désespérée, et que seule une confession sincère vous donnera une chance de vous en sortir. »

Pendant un moment Gilchrist, la main levée, essaya de maîtriser l'émotion qui déformait ses traits. La minute d'après, il se jetait à genoux à côté de la table à écrire, et, se cachant la figure dans les mains, il éclata en violents sanglots.

« Allons, allons, » dit Holmes avec gentillesse ; « s'écarter du droit chemin est humain, et au moins personne ne peut vous accuser d'être un criminel endurci. Peut-être que cela faciliterait votre tâche si je racontais moi-même à M. Soames ce qui s'est passé, et vous pourrez toujours m'interrompre si je me trompe. Êtes-vous d'accord ? Bon, bon, ne répondez pas si vous n'en avez pas envie. Écoutez et veillez à ce que je ne sois pas injuste à votre égard.

---

7. **no, but you have now** : sous-entendu : **you have said a word now**.
8. **writhing (features)** : *(les traits) tordus par les soucis, la douleur.*
9. **beside** : prép., *à côté de ;* ▲ **besides**, adv., *en outre, de plus.*
10. **sobbing** : nom verbal de **to sob** : *sangloter.*
11. **callous** : *sans pitié pour le malheur des autres, dur, insensible.*
12. **if I were to tell** : **were** : subjonctif passé, à toutes les personnes, de **to be** ; en anglais moderne on emploie plutôt **was** au sing. et **were** au plur. ; exprime le doute ; Holmes n'est pas sûr de l'acceptation de Gilchrist.
13. **check = stop** : *arrêter, interrompre.*

"From the moment, Mr Soames, that you said to me that no one, not even Bannister, could have told [1] that the papers were in your room, the case began to take a definite shape in my mind. The printer one could [2], of course, dismiss [3]. He could examine the papers in his own office. The Indian I also thought nothing of. If the proofs were in the roll he could not possibly [4] know what they were. On the other hand [5], it seemed an unthinkable coincidence that a man should dare [6] to enter the room, and that by chance [7] on that very day the papers [8] were on the table. I dismissed that. The man who entered knew that the papers were there. How did he know ?

"When I approached your room I examined the window. You amused me by supposing that I was contemplating the possibility of someone having in broad [9] daylight, under the eyes of all these opposite rooms, forced himself through it. Such an idea was absurd. I was measuring how tall a man [10] would need to be in order to see as he passed what papers were on the central table. I am six feet high [11], and I could do it with an effort. No one less than that would have a chance [12]. Already, you see, I had reason [13] to think that if one of your three students was a man of unusual height he was the most worth watching [14] of the three.

---

1. **told** = known : it's impossible to tell who'll win the elections : *on ne peut savoir qui gagnera les élections.*
2. **the printer one could, of course, dismiss :** il y a inversion : **one could, of course, dismiss the printer.**
3. **dismiss** = put away : *écarter* (la culpabilité de l'imprimeur).
4. **possibly :** forme d'inistance de **can.**
5. **on the other hand :** *d'autre part ;* reprise de l'expression **on the one hand ;** on rencontre parfois la reprise seule, la 1re partie de l'alternative étant sous-entendue.
6. **dare to (dared, dared) :** employé ici comme verbe ordinaire ; il est employé comme défectif surtout aux formes interrog. et nég. (présent et prétérit) : **he dare not tell me :** *il n'ose pas me le dire.*
7. **▲ by chance :** *par hasard ; par chance* = luckily, fortunately.
8. **on that very day the papers** = on that very day when the papers ; on introduit une date, un moment précis : **he**

« A partir du moment, M. Soames, où vous avez affirmé que personne, pas même Bannister, n'avait pu savoir que les documents étaient dans votre bureau, l'affaire commença à prendre tournure dans mon esprit. On ne pouvait naturellement pas mettre en cause l'imprimeur. Il avait toute latitude pour examiner les sujets dans son propre bureau. J'ai aussi écarté la culpabilité de l'Indien. Car si les épreuves étaient en un rouleau, il ne pouvait absolument pas savoir ce que c'était. D'autre part, cela semblait une inconcevable coïncidence qu'un homme osât s'introduire dans la pièce, le jour même où, par un pur hasard, les sujets auraient été sur la table. J'ai écarté cette possibilité. L'homme qui avait pénétré dans la pièce savait que les sujets y étaient. Et comment l'avait-il appris ?

« Lorsque je fus arrivé tout près de votre pièce, j'ai examiné la fenêtre. Vous m'avez amusé en supposant que j'envisageais la possibilité que quelqu'un, en plein jour et dans le champ de vision de toutes ces chambres en face, ait pu s'introduire par là. Une telle idée était absurde. J'étais en train d'évaluer la taille que devait avoir un homme pour être capable de voir en passant quels papiers se trouvaient sur la table au milieu de la pièce. J'ai un mètre quatre-vingts, et pourtant il m'a fallu faire un effort pour y arriver. Aucune personne d'une taille plus réduite n'en aurait eu la possibilité. Déjà, vous voyez, j'avais une bonne raison de penser que si l'un de vos étudiants était un homme d'une taille supérieure à la moyenne, celui-là plus que les deux autres, valait la peine qu'on le surveillât de près.

---

wrote on Tuesday : *il a écrit mardi.*
9. **broad daylight** : ici **broad** = **full and complete** : *en plein jour.*
10. **I was measuring how tall a man** : interrog. indirecte : *j'évaluais combien grand un homme.*
11. **I am six feet high** = **I am six feet tall** : *je mesure 1,80 m (one foot = 0,30)*
12. ∆ **a chance** : ici **a possibility** : *possibilité (physique).*
13. **I had reason** : **I had a reason** : *j'avais une raison, un motif ;* ne pas confondre avec : *avoir raison :* **to be right** ≠ **to be wrong** : *avoir tort.*
14. **worth watching** : **to be worth** : *valoir la peine,* se construit avec un nom ou un gérondif ; **watching**, part. prés. actif normalement employé au lieu d'un part. prés. passif : **being watched.**

147

"I entered, and I took you into my confidence as to[1] the suggestions of the side-table. Of the centre table I could make nothing[2], until in your description of Gilchrist you mentioned[3] that he was a long-distance jumper. Then the whole thing came to me in an instant, and I only needed certain corroborative proofs, which I speedily obtained.

"What happened was this. This young fellow had employed his afternoon at the athletic grounds, where he had been practising the jump. He returned carrying his jumping-shoes, which are provided[4], as you are aware[5], with several spikes[6]. As he passed your window he saw, by means of[7] his great height, these proofs upon your table, and conjectured what they were. No harm would have been done had it not been[8] that as he passed your door he perceived the key which had been left by the carelessness of your servant. A sudden impulse came over[9] him to enter and see if they were indeed the proofs. It was not a dangerous exploit, for he could always pretend[10] that he had simply looked in[11] to ask a question.

"Well, when he saw[12] that they were indeed the proofs, it was then that he yielded to temptation. He put his shoes on the table. What was it you put on that chair near the window?"

---

1. **as to** : *quant à, pour ce qui est de* = as for.
2. **of the central table I could make nothing** : inversion = I could make nothing of the central table ; ici to **make** of, dans le sens de tirer, extraire, peut se construire aussi avec : **little, much, something** : I can't make much of it : *je ne peux en tirer grand-chose*.
3. **mentioned** : dans un polysyllabique, lorsque l'accentuation ne porte pas sur la dernière syllabe ['menʃənd], la consonne finale précédée d'une voyelle ne redouble pas lorsqu'on ajoute un suffixe. La consonne "l" fait exception : **to travel** ['travəl], **travelling**.
4. **provided with** : to **provide** n'a pas son sens habituel qui est *fournir,* (to supply), mais celui de *garnir, équiper, pourvoir.*
5. **as you are aware** = as you know.
6. **spike** : *pointe* métallique dans la semelle de certaines chaussures de sport, qui assure une bonne prise sur le sol.

« Je suis entré dans le bureau et je vous ai confié mes réactions pour ce qui était sur la petite table. Du bureau placé au centre, je n'ai rien pu tirer jusqu'au moment où, en me parlant de Gilchrist, vous avez fait allusion au fait que c'était un champion de saut en longueur. A cet instant la lumière jaillit dans mon esprit, et il ne me manquait plus que certaines preuves pour confirmer le tout, preuves que j'eus tôt fait d'obtenir.

« Voici ce qui est arrivé. Notre jeune homme avait passé l'après-midi au stade où il s'était entraîné au saut. Il rentra, ses chaussures de saut à la main, lesquelles, comme vous le savez, sont munies de nombreuses pointes. Sa grande taille lui permit, alors qu'il passait devant votre fenêtre, de voir ces épreuves sur votre table, et il en devina la nature. Ceci n'aurait entraîné aucune conséquence fâcheuse, n'eût été qu'en passant devant votre porte, il aperçut la clé laissée dans la serrure par suite de la négligence de votre domestique. Soudain une impulsion le poussa à entrer pour voir s'il s'agissait bel et bien des épreuves. Il ne courait aucun danger en agissant ainsi, car il pouvait toujours prétendre qu'il était entré en passant uniquement pour vous poser une question.

« Ma foi, ce fut lorsqu'il constata qu'il se trouvait vraiment devant les sujets qu'il céda à la tentation. Il posa ses chaussures sur la table. Qu'avez-vous donc mis sur ce fauteuil, là-bas, près de la fenêtre ? »

---

7. **by means of :** means peut être sing. ou plur. : **I know a good means to succeed** : *je connais un bon moyen pour réussir ;* ici : **by means of** = *au moyen de, grâce à.*

8. **had it not been :** inversion de l'auxil. et du sujet = **if it had not been** : *si cela n'avait pas été...*

9. **came over :** **over** implique que cette impulsion l'envahit complètement.

10. **to pretend :** ce verbe a deux sens : ici, *affirmer, soutenir, prétendre* et ▲ *faire semblant de ;* **he pretends to be sleeping** : *il fait semblant de dormir.*

11. **to look in :** **to pay a short visit** : *entrer en passant.*

12. **saw :** **to see, saw, seen,** ici *constater.*

"Gloves," said the young man.

Holmes looked triumphantly[1] at Bannister.

"He put his gloves on the chair, and he took the proofs, sheet by sheet, to copy them. He thought the tutor must return by the main gate, and that he would see him. As we know, he[2] came back by the side-gate. Suddenly he heard him at the very door. There was no possible escape. He forgot his gloves, but he caught up his shoes and darted[3] into the bedroom. You observe that the scratch on that table is slight at one side, but deepens[4] in the direction of the bedroom door. That in itself is enough to show us that the shoes had been drawn in that direction, and that the culprit had taken refuge there. The earth round the spike had been left on the table, and a second sample was loosened[5] and fell in the bedroom. I may add that I walked out to the athletic grounds this morning, saw that tenacious[6] black clay is used in the jumping-pit[7], and carried away a specimen of it, together with[8] some of the fine tan[9] or sawdust which is strewn[10] over it to prevent the athlete from slipping[11]. Have I told the truth, Mr Gilchrist ?"

The student had drawn himself erect.

"Yes, sir, it is true," said he.

"Good heavens, have you nothing to add ?" cried Soames.

"Yes, sir, I have, but the shock of this disgraceful exposure[12] has bewildered me.

---

1. **triumphantly :** Holmes avait soupçonné Bannister d'être le complice du coupable ; maintenant que la chose se vérifie, il triomphe.

2. **he :** représente le tutor.

3. **to dart :** to fly like a dart ; dart : *fléchette pour le jeu ; filer comme une flèche.*

4. **to deepen :** *s'approfondir, se creuser ;* de **deep** (adj.) : *profond ;* **depth** (n.) : *la profondeur.*

5. **to loosen :** de **loose** [luːs] : *détaché, desserré, branlant.*

6. **tenacious** [tə'neiʃəs] : ordinairement employé au fig. dans le sens de *tenace, obstiné ;* ici C. Doyle l'emploie comme syn. de **sticky** : *collant.*

7. **pit :** fosse contenant une matière spéciale ; par ex. a **sand-pit :** *tas de sable* pour les jeux des enfants.

8. **together with** = as well as : *ainsi que.*

« Mes gants », répondit le jeune homme.

Holmes jeta à Bannister un coup d'œil triomphant.

« Il a déposé ses gants sur le fauteuil, et pris les épreuves feuille par feuille, pour les recopier. Il a pensé que le directeur d'études devait revenir par la grande porte, et qu'il le verrait arriver. Comme nous le savons, M. Soames est revenu par l'entrée latérale. Tout à coup, il a entendu ses pas, à la porte même. Il ne pouvait plus s'enfuir. Il a oublié ses gants, mais il a attrapé ses chaussures et a foncé vers la chambre. Vous remarquerez que l'éraflure sur cette table est très fine à son extrémité, mais se creuse dans la direction de la porte de la chambre. Cela suffit pour nous montrer que les chaussures ont été tirées dans ce sens, et que le coupable s'est réfugié là. La terre qui entourait la pointe, est tombée sur la table, et une deuxième petite boule s'est détachée et a roulé dans la chambre. Je puis ajouter que je me suis rendu au stade à pied, ce matin, que j'ai vu que cette argile noire collante remplissait le sautoir, et que j'en ai emporté un échantillon, en même temps qu'une petite quantité de débris pulvérulents ou de sciure que l'on y répand afin d'empêcher les athlètes de glisser. Ai-je dit la vérité, M. Gilchrist ? »

L'étudiant s'était redressé.

« Oui, Monsieur, tout cela est vrai », dit-il.

« Grand Dieu, n'avez-vous rien à ajouter ? » s'écria Soames.

« Oui, Monsieur, mais le choc de ces révélations déshonorantes m'a désorienté.

---

9. **tan :** nom, sorte de poussier utilisé jadis pour garnir la piste d'un cirque.

10. **strewn :** du verbe semi-régulier **to strew (strewed, strewn)** : *répandre.*

11. **to prevent sbd from** + gérondif : *empêcher qqn de...* + l'inf. ▲ *je ne peux pas m'empêcher de faire cela :* **I can't help doing this.**

12. **exposure :** le fait de révéler un secret, le plus souvent infâmant, du verbe **to expose sbd** : *démasquer, dénoncer qqn.*

I have a letter here, Mr Soames, which I wrote to you early this morning in the middle of a restless [1] night. It was before I knew that my sin had found me out [2]. Here it is, sir. You will see that I have said, 'I have determined not to go [3] in for the examination. I have been offered [4] a commission [5] in the Rhodesian [6] Police, and I am going out to South Africa at once.' "

"I am indeed pleased to hear [7] that you did not intend to profit by your unfair advantage," said Soames. "But why did you change your purpose ?"

Gilchrist pointed to Bannister.

"There is the man who sent me in the right path [8]," said he.

"Come now, Bannister," said Holmes. "It will be clear to you from what I have said that only you could have let [9] this young man out, since you were left in the room and must have locked the door when you went out. As to his escaping by that window, it was incredible. Can you not [10] clear up the last point in this mystery, and tell us the reason for your action ?"

"It was simple enough, sir, if you had only known ; but with [11] all your cleverness it was impossible that you could know. Time was, sir, when [12] I was butler [13] to [14] old Sir Jabez Gilchrist, this young gentleman's father.

---

1. **restless** : adj. formé d'un nom, **rest** (repos) et du suff. privatif **less** (sans) : sans repos, agité.

2. **to find sbd out** : découvrir et exposer les pratiques malhonnêtes de qqn ; « mon péché m'avait mis à nu ».

3. **not to go** : forme négative de l'inf. : ne pas aller.

4. **I have been offered a commission** : la forme active de cette phrase étant **sbd offered me a commission** ; il y a au passif deux possibilités : **a commission has been offered to me (by sbd)**, ou celle du texte qui est en général préférable.

5. **commission** : nomination à un poste (police) ou grade (armée) assez élevé. △ N.C.O. = **non-commissioned officer** : officier sans commission = sous-officier.

6. **Rhodesian** [rəu'diːʒən] : adj. de **Rhodesia** ; région de l'Afrique australe, colonie anglaise, au temps de C. Doyle.

7. **to hear** = to learn : apprendre.

8. **sent me on the right path** : dans cette expression **put** est plus courant que **sent**.

9. **let** : to let (let, let) : laisser, permettre ; to let out :

J'ai ici une lettre, M. Soames, que je vous ai écrite de très grand matin, après une nuit où je n'ai pu trouver le sommeil. Je ne savais pas encore à ce moment-là que ma faute avait été découverte. La voici, Monsieur. Vous verrez que j'ai écrit : "J'ai décidé de ne pas me présenter à l'examen. On m'a offert une situation dans la police rhodésienne, et je pars immédiatement pour l'Afrique du Sud." »

« Je suis vraiment satisfait d'apprendre que vous n'aviez pas l'intention de tirer profit d'un avantage acquis si malhonnêtement, » dit Soames. « Mais pourquoi avez-vous modifié vos plans ? »

Gilchrist montra Bannister du doigt.

« Voici l'homme qui m'a remis dans le droit chemin », dit-il.

« Allons, voyons ! Bannister, » dit Holmes. « D'après ce que j'ai dit, il est évident que vous et vous seul, avez pu laisser sortir ce jeune homme, puisque vous étiez resté dans la pièce et que vous-même avez certainement fermé la porte à clé en sortant. Pour ce qui est de s'échapper par cette fenêtre, c'était invraisemblable. Ne pouvez-vous pas faire toute la lumière sur ce dernier point du mystère, et nous donner la raison de vos agissements ? »

« C'était assez simple, Monsieur, si seulement vous aviez été mieux informé ; mais malgré toute votre clairvoyance, il vous était impossible d'être au courant. Il fut un temps, Monsieur, où j'étais maître d'hôtel chez Sir Jabez Gilchrist, le père de ce jeune homme.

---

laisser sortir. L'auteur emploie aussi **to release** dans le même sens ; cf. p. 142, note 4.

10. **can you not clear up :** forme soutenue pour **can't you clear up.**

11. **with all your cleverness :** (ici) with = in spite of : *malgré.*

12. **time was... when :** there was a time when : *il fut un temps où.*

13. **butler :** celui des domestiques qui commande aux autres.

14. **I was butler to :** devant un n. sing. attribut, on emploie l'article indéfini **my father is a teacher** : *mon père est professeur ;* mais on ne l'emploie pas lorsqu'il n'y a qu'une personne à remplir la fonction.

When he was ruined I came to the college as servant, but I never forgot my old employer [1] because he was down in the world [2]. I watched his son all I could [3] for the sake of [4] the old days. Well, sir, when I came into this room yesterday when the alarm was given, the first thing I saw [5] was Mr Gilchrist's tan [6] gloves a-lying [7] in that chair. I knew those gloves well, and I understood their message. If Mr Soames saw them the game was up [8]. I flopped down into that chair, and nothing would budge [9] me until Mr Soames went for you. Then out came my poor young master, whom I had dandled [10] on my knee, and confessed it all to me. Wasn't it natural, sir, that I should save him [11], and wasn't it natural also that I should try to speak to him as his dead father would have done, and make him understand that he could not profit by such a deed ? Could you blame me, sir ?"

"No, indeed !" said Holmes heartily, springing to his feet. "Well, Soames, I think we have cleared your little problem up, and our breakfast awaits us [12] at home. Come, Watson ! As to you, sir, I trust that a bright future awaits you in Rhodesia. For once you have fallen low. Let us see in the future how high you can rise."

---

1. **employer :** le suffixe **-er** indique celui qui fait l'action : *celui qui emploie, l'employeur.* Le suffixe **-ee** désigne celui qui subit l'action : **the employee,** *l'employé.* **The sender,** *l'expéditeur ;* **the sendee,** *le destinataire.*
2. **he was down in the world :** *il était tombé dans le monde* (socialement).
3. **all I could** = as much as I could : *autant qu'il m'était possible.*
4. **for the sake of :** *pour l'amour de.*
5. **the first thing I saw :** sous-entendu **that,** relatif obligatoire après le superlatif **first.**
6. **tan** (adj.) : *brun clair ; qui a subi le tannage, tanné.*
7. **a-lying :** forme vieillie dans laquelle le préf. **a-** devant un part. prés. a le sens de *en train de.*
8. **the game was up :** *la partie était terminée (perdue).*
9. **to budge :** to move ; ce verbe, peu courant, s'emploie

Lorsqu'il a été ruiné, je suis **entré** au collège en qualité de domestique, mais je n'ai jamais oublié mon vieux maître, maintenant qu'il était tombé dans l'échelle sociale. J'ai donc veillé sur son fils autant que je l'ai pu, en souvenir du bon vieux temps. Eh bien, Monsieur, quand je suis entré dans cette pièce hier une fois l'alarme donnée, la première chose qui rencontra mon regard fut les gants tannés de M. Gilchrist posés sur ce fauteuil. Je connaissais bien ces gants, et je compris leur signification. Si M. Soames les voyait, tout était perdu. Je m'effondrai dans ce fauteuil et rien n'aurait pu m'en faire sortir jusqu'à ce que M. Soames soit parti à votre recherche. Alors mon pauvre jeune maître sortit de sa cachette, lui que j'avais fait sauter sur mes genoux, et il m'avoua tout. N'était-il pas naturel, Monsieur, que je le sauve, et n'était-il pas naturel également, que j'essaye de lui parler tout comme son pauvre père l'aurait fait, pour lui faire comprendre qu'il ne pouvait pas tirer parti d'une telle action ? Pouvez-vous m'en faire reproche, Monsieur ? »

« Non, certainement pas ! » dit Holmes d'un ton cordial, en se levant d'un bond. « Ma foi, Soames, je pense que nous avons éclairci votre petit problème, et notre petit déjeuner nous attend chez nous. Venez, Watson ! Quant à vous, jeune homme, je suis persuadé qu'un avenir brillant va s'ouvrir devant vous en Rhodésie. Car si une fois vous êtes tombé bien bas, le futur, je l'espère, nous montrera que vous savez vous élever bien haut. »

---

surtout dans une phrase négative ; **I won't budge an inch :** *je ne bougerai pas d'un pouce.*
10. **to dandle :** *bercer un bébé dans ses bras* ou *le faire sauter sur ses genoux* (pour l'amuser).
11. **I should save him :** forme subjonctive introduite par **wasn't it natural that.**
12. **awaits us** = **waits for us :** *nous attend.*

Faites de nouvelles découvertes sur
www.pocket.fr

- Des 1ers chapitres à télécharger
- Les dernières parutions
- Toute l'actualité des auteurs
- Des jeux-concours

Il y a toujours
un **Pocket** à découvrir

Impression réalisée par

C P I
Brodard & Taupin

55323 – La Flèche (Sarthe), le 20-11-2009
Dépôt légal : août 2006
Suite du premier tirage : novembre 2009

POCKET – 12, avenue d'Italie - 75627 Paris cedex 13

Imprimé en France